A-Z HUDDERSFIELD

CONTENTS

REFERENCE

Motorway	M62	Posttown Boundary	
		By arrangement with the Post Office	
A Road	A642	Postcode Boundary	
Under Construction		Within Posttowns	
Proposed		Map Continuation	34
B Road	B6432		
Dual Carriageway		Car Park	P
		Church or Chapel	†
One Way Street		Fire Station	■
Traffic flow on A Roads is indicated by a heavy line on the driver's left.		Hospital	H
Pedestrianized Road		Information Centre	i
Restricted Access		National Grid Reference	415
Track			
Footpath		Police Station	▲
Residential Walkway		Post Office	★
Railway	Tunnel Level Crossing Station	Toilet	▽
Local Authority Boundary		Toilet with Disabled Facilities	♿
Built Up Area	HIGH STREET		

SCALE
4 Inches to 1 Mile   1:15,840

0   ¼   ½   ¾   1 Mile

0   250   500   750 Metres   1 Kilometre

Copyright of Geographers' A-Z Map Company Ltd.

Head Office : Fairfield Road, Borough Green, Sevenoaks, Kent TN15 8PP   Telephone 01732 781000
Showrooms : 44 Gray's Inn Road, London WC1X 8HX   Telephone 0171 242 9246

C000145780

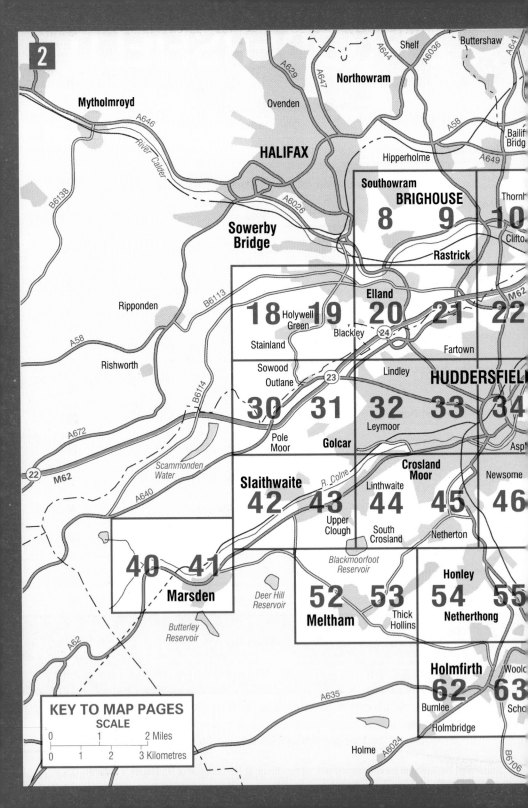

2

Mytholmroyd

Northowram

Ovenden

Shelf

Buttershaw

HALIFAX

Hipperholme

Bailif
Bridg

Southowram

BRIGHOUSE

Thornh

8 **9** **10**

Clifto

Rastrick

Sowerby
Bridge

Ripponden

Elland

18 Holywell **19** **20** **21** **22**
Green

Blackley

Stainland

Rishworth

Fartown

Sowood

Lindley

HUDDERSFIEL

Outlane

30 **31** **32** **33** **34**

Pole
Moor

Leymoor

Asp

Golcar

Scammonden
Water

Crosland
Moor

Newsome

Slaithwaite

Linthwaite

42 **43** **44** **45** **46**

Upper
Clough

South
Crosland

Netherton

Blackmoorfoot
Reservoir

Deer Hill
Reservoir

Honley

40 **41**

52 **53** **54** **55**

Marsden

Meltham

Thick
Hollins

Netherthong

Butterley
Reservoir

Holmfirth

Wool

62 **63**

Burnlee

Scho

Holmbridge

Holme

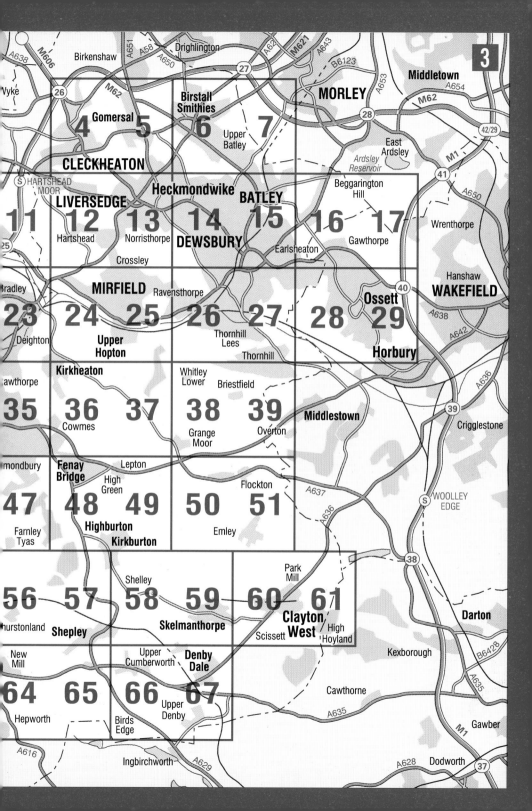

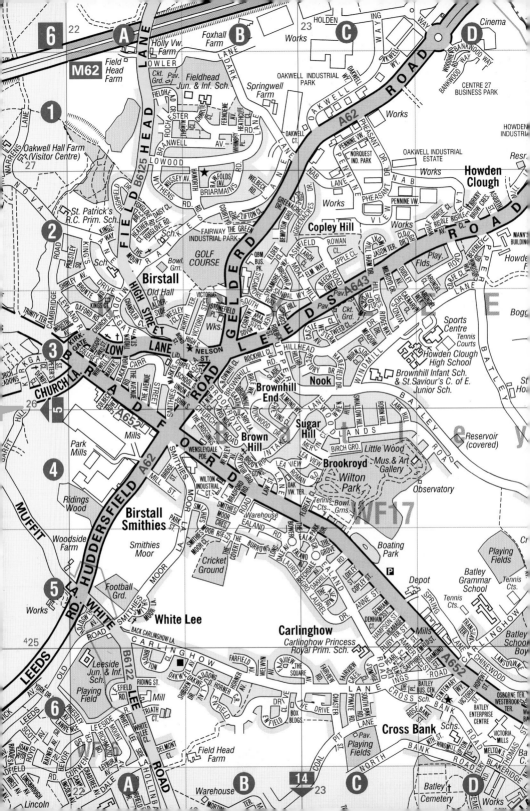

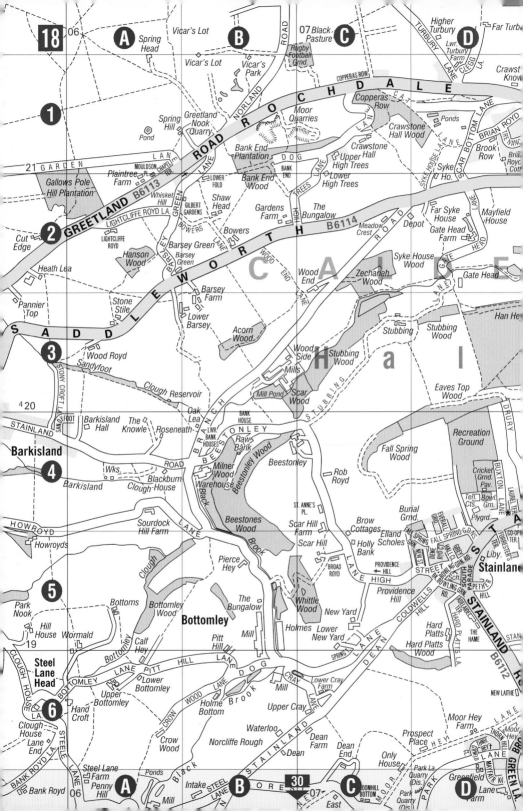

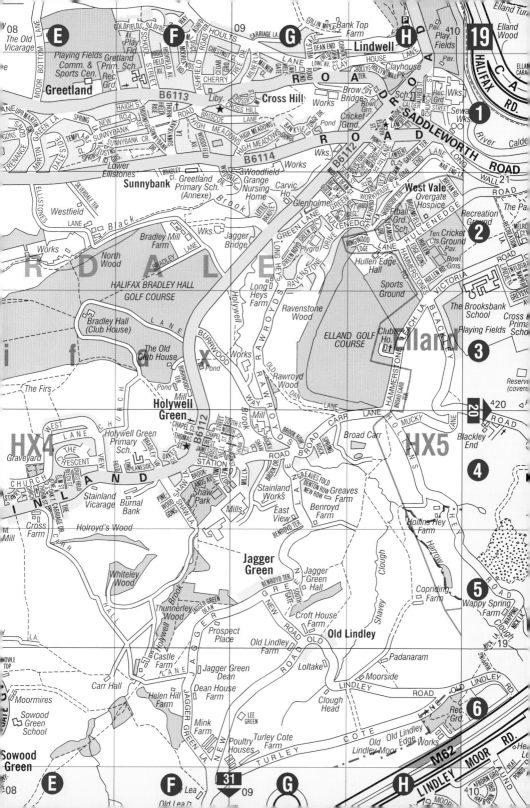

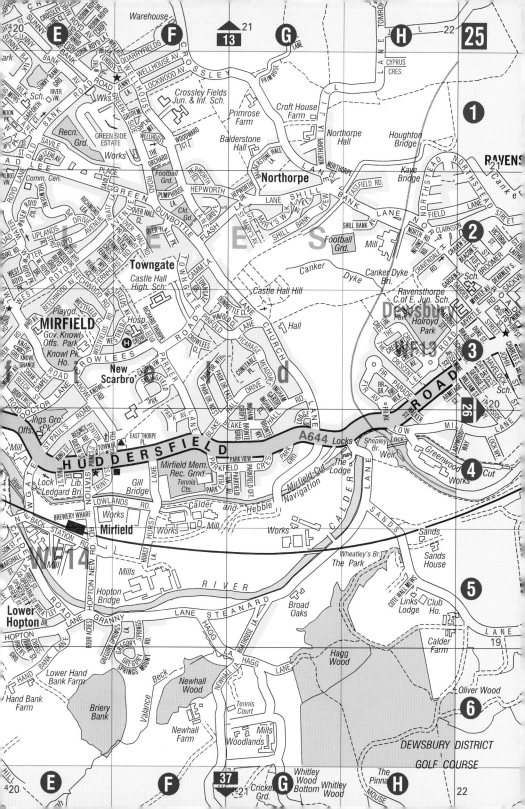

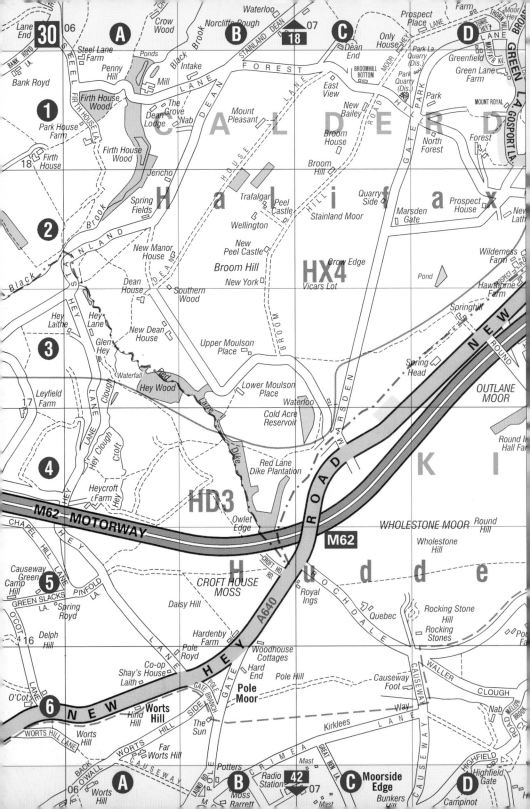

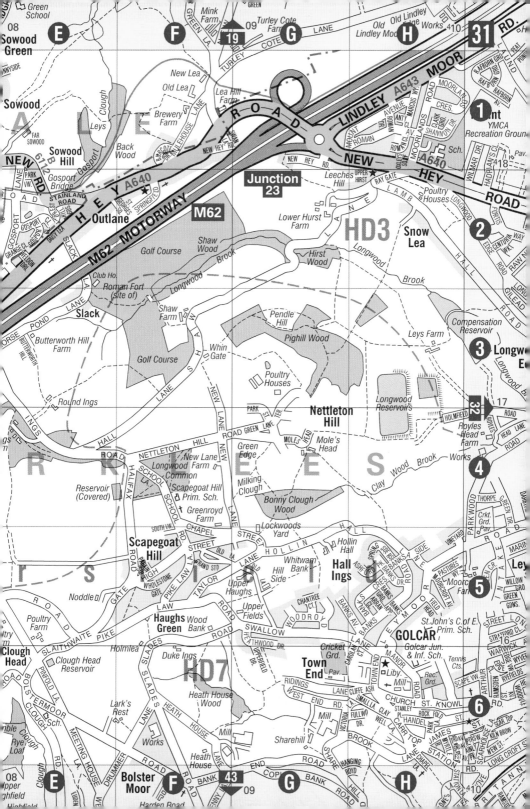

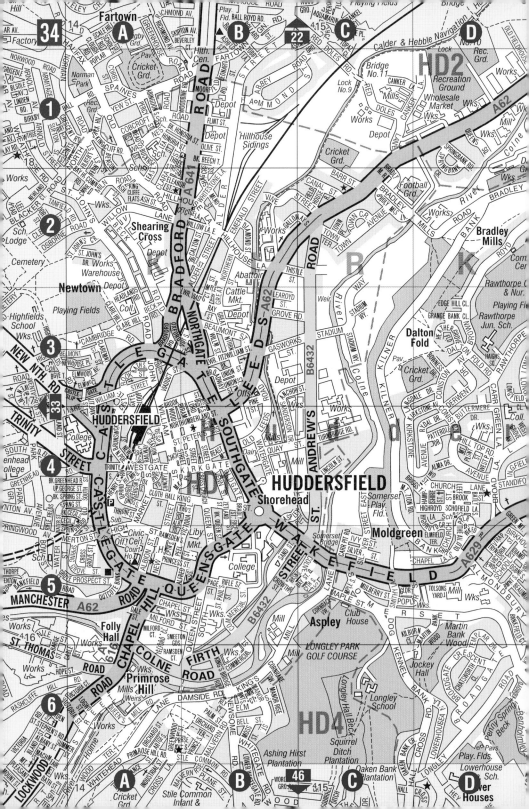

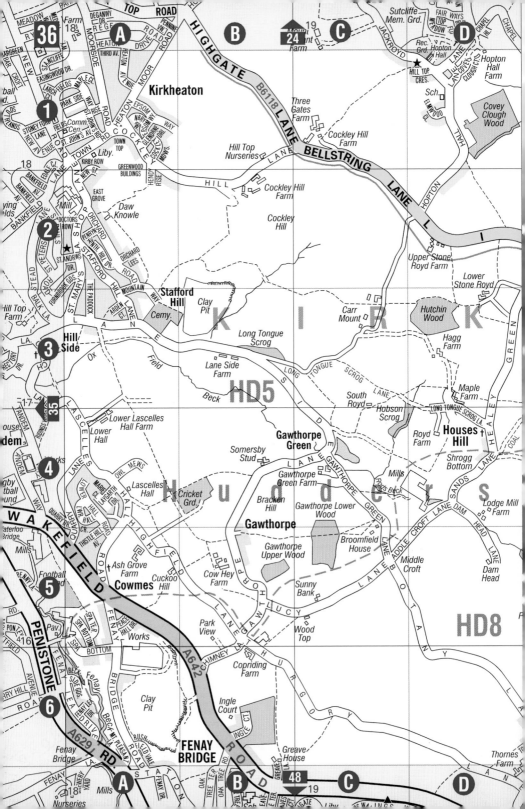

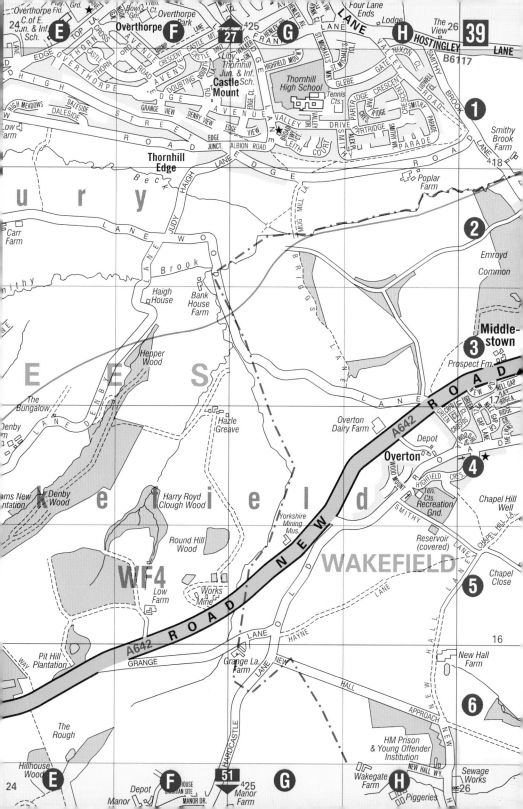

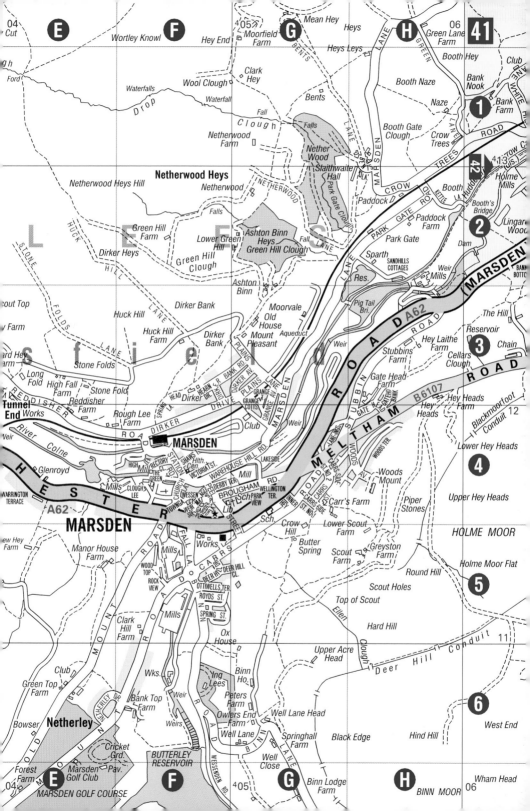

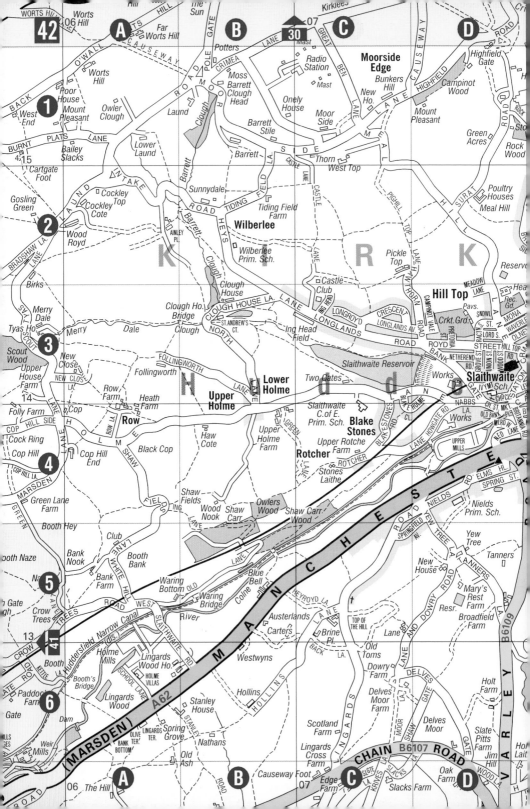

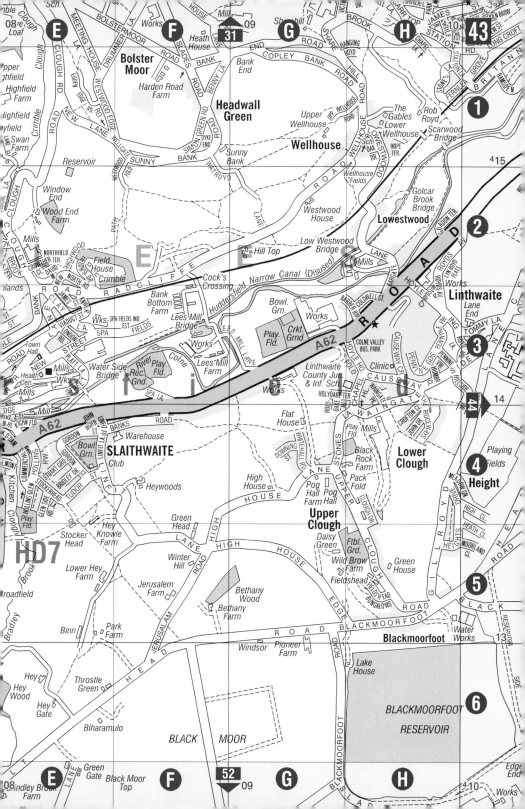

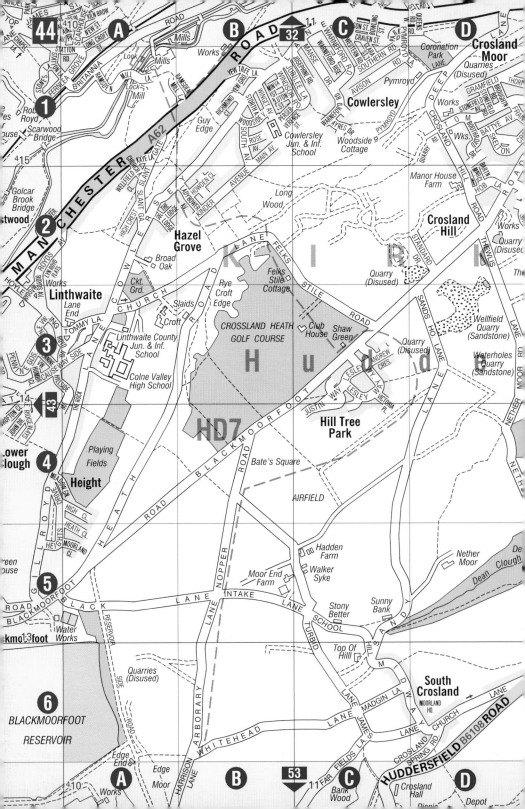

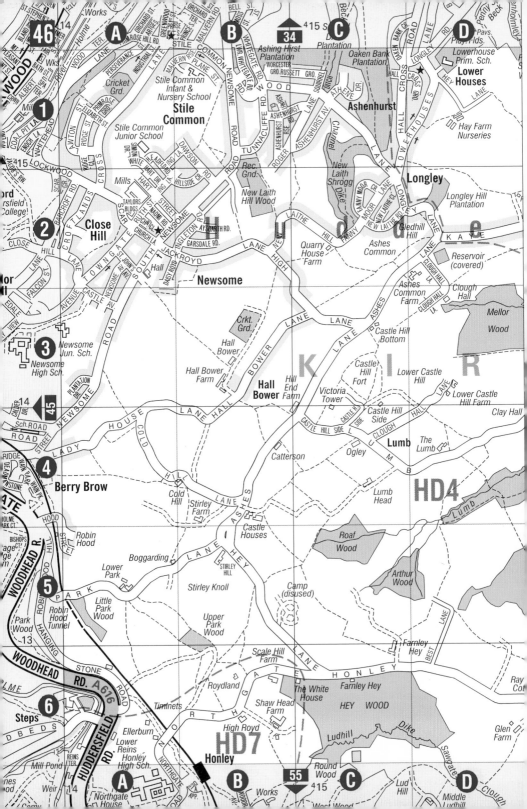

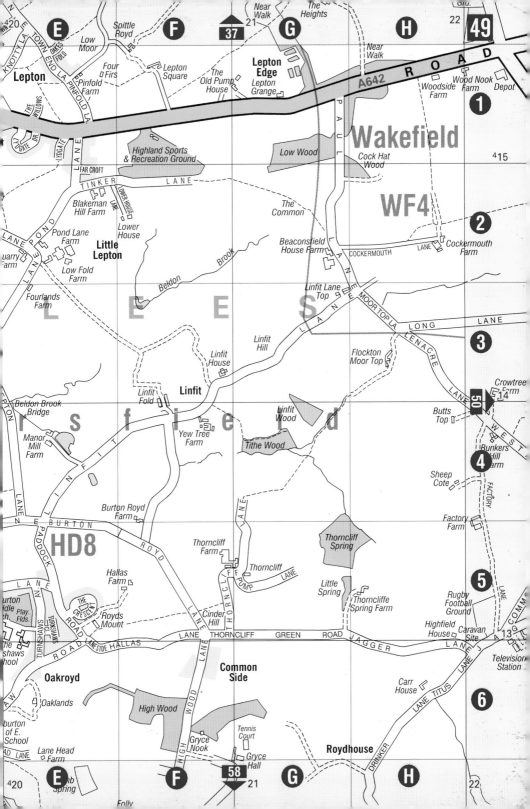

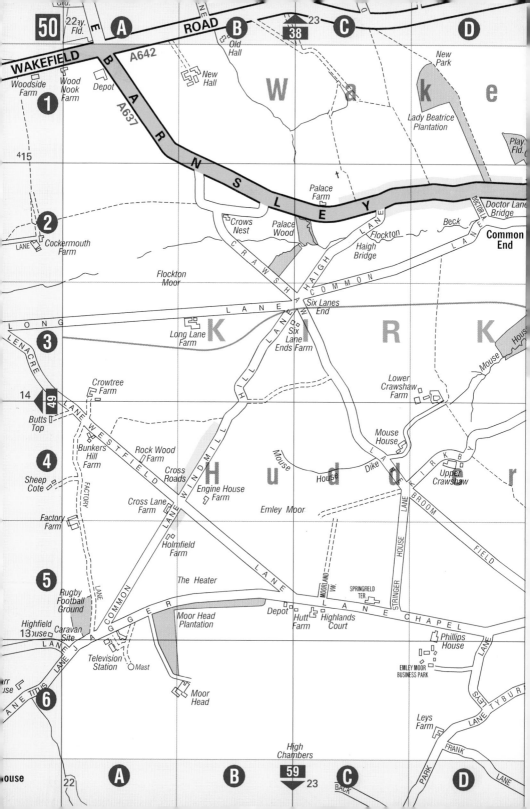

50

22ay. Fld.

WAKEFIELD ROAD A642

A B 38 23 C D

Old Hall

New Hall

New Park

Lady Beatrice Plantation

Play. Fld.

1 Woodside Farm   Wood Nook Farm   Depot

A637 B A R N S L E Y

W a k e

415

2 Cockermouth Farm   LANE

Crows Nest   Palace Wood   Palace Farm   Flockton   Haigh Bridge   Beck   Doctor Lane Bridge

Common End

Flockton Moor

C R A W S H A W   L A N E   H A I G H   L A N E   C O M M O N   L A N E   V I C T O R I A   L A N E

LONG   LENACRE

Six Lanes End

3 Long Lane Farm   K   Six Lane Ends Farm   R   K   Mouse House

14   Crowtree Farm   Lower Crawshaw Farm   Mouse

49   Butts Top   W E S T F I E L D   L A N E   H I L L   L A N E   Mouse House   Upper Crawshaw   K I R K B Y   B R O O M F I E L D

4 Sheep Cote   Bunkers Hill Farm   Rock Wood Farm   Cross Roads   Engine House Farm   Mouse House   Dike   L A D Y

FACTORY

Factory Farm   Cross Lane Farm   W I N D M I L L   L A N E   H   Emley Moor   u   d   d   e   r

Holmfield Farm   L A N E

5 The Heater   Depot   Hutt Farm   Highlands Court   M O O R L A N D   V W.   SPRINGFIELD TER   S T R I N G E R   H O U S E   L A N E   C H A P E L

Rugby Football Ground   Moor Head Plantation

Highfield House   13   Caravan Site   C O M M O N   L A N E   D A G G E R   L A N E   Phillips House   L A N E   T Y B U R

LANE J

Television Station   Mast   EMLEY MOOR BUSINESS PARK

6 LANE TITUS   Moor Head   Leys Farm   L A N E   FRANK

ouse

High Chambers

A   B   59   23   C   PARK   LANE   D

BACK

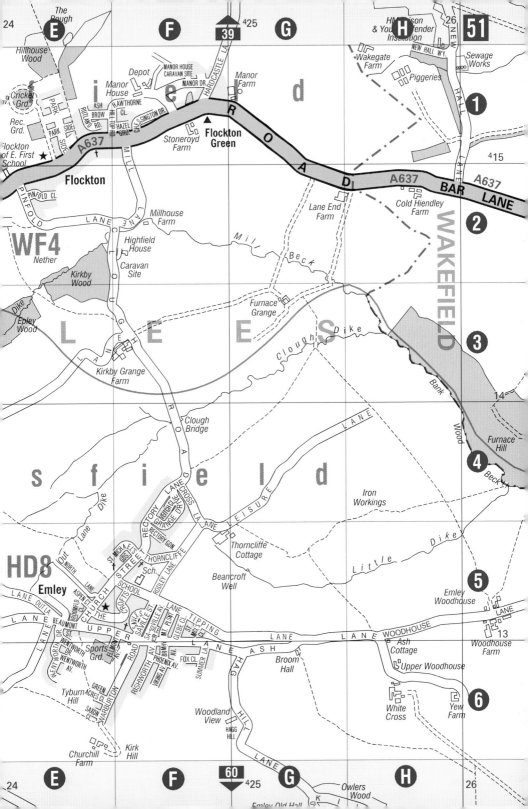

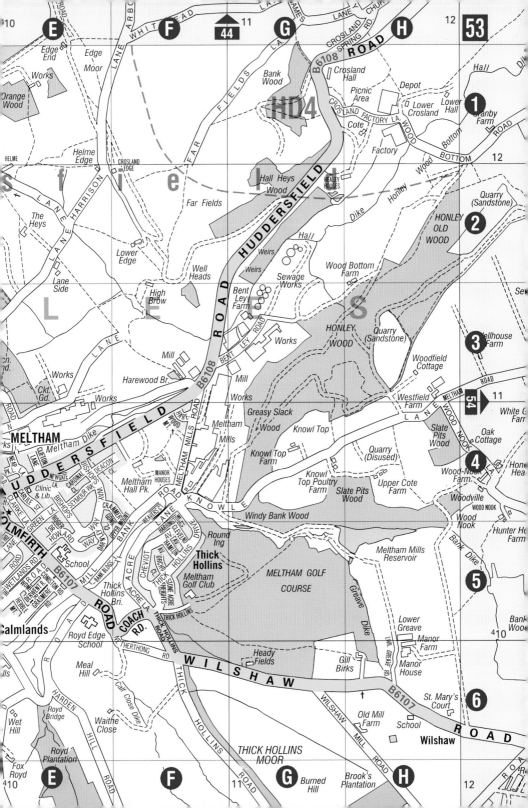

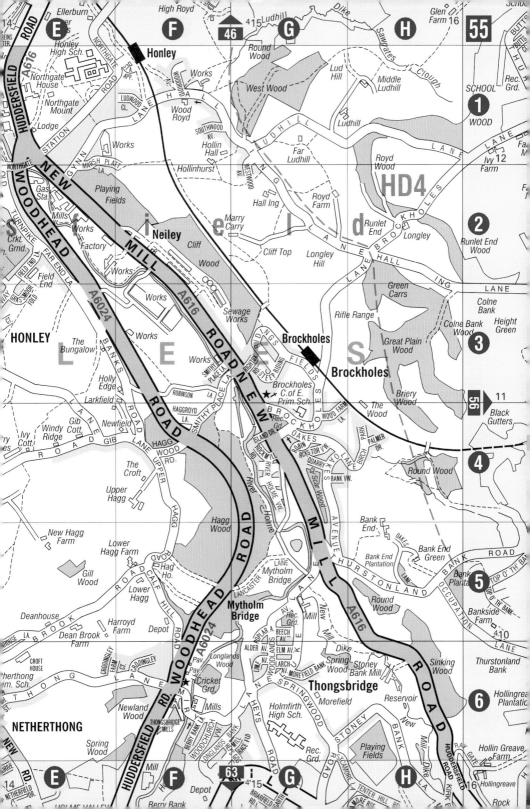

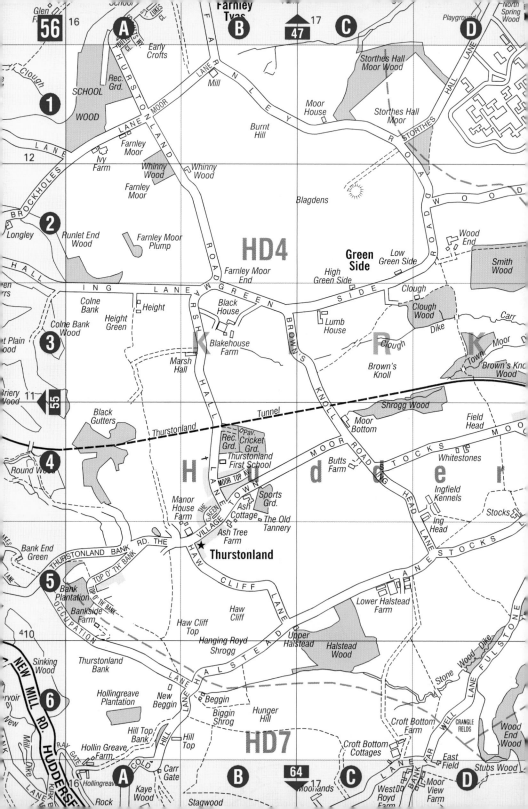

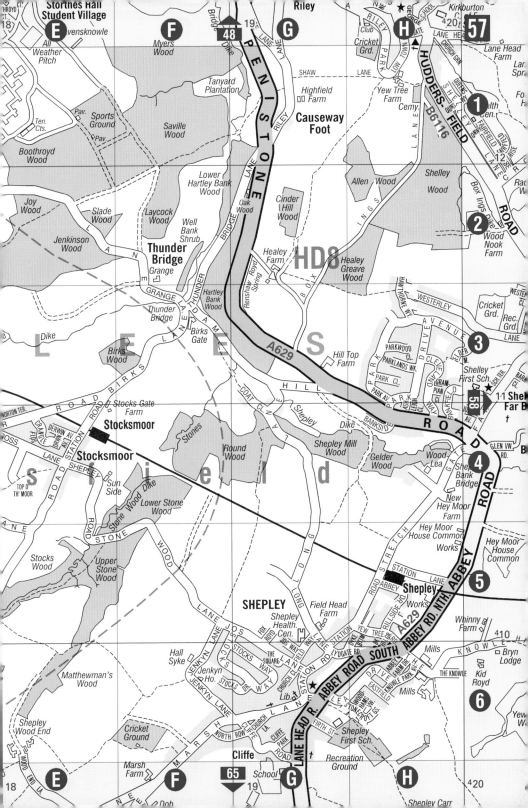

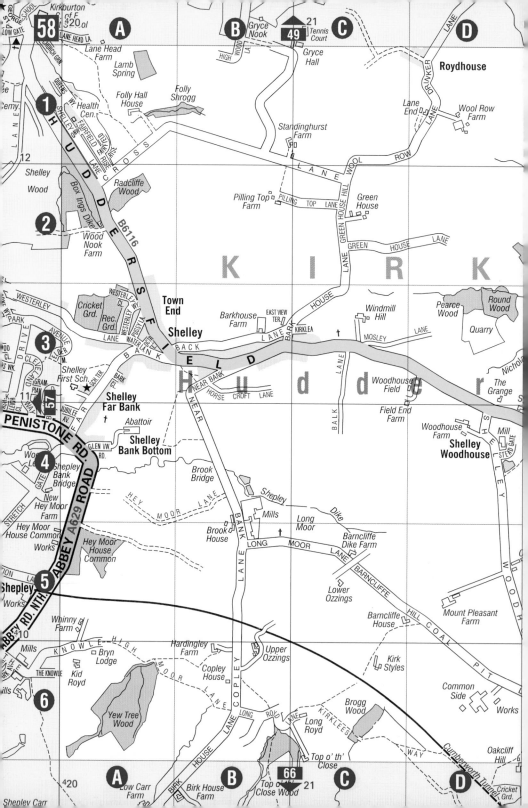

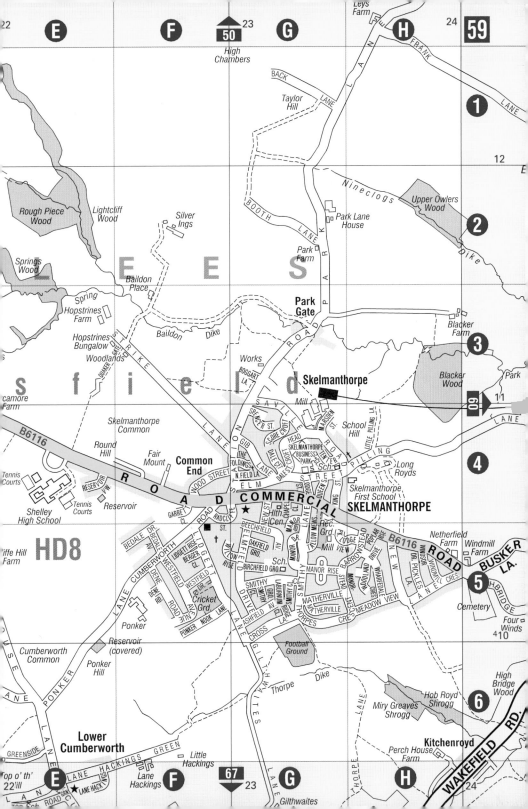

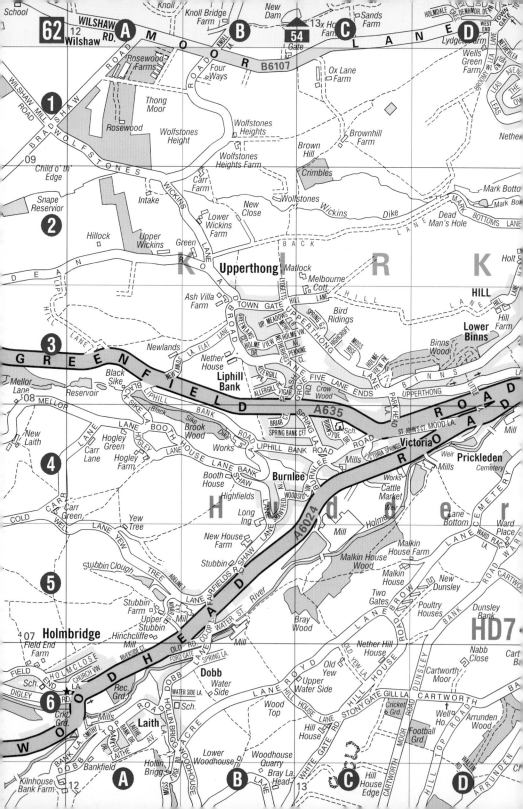

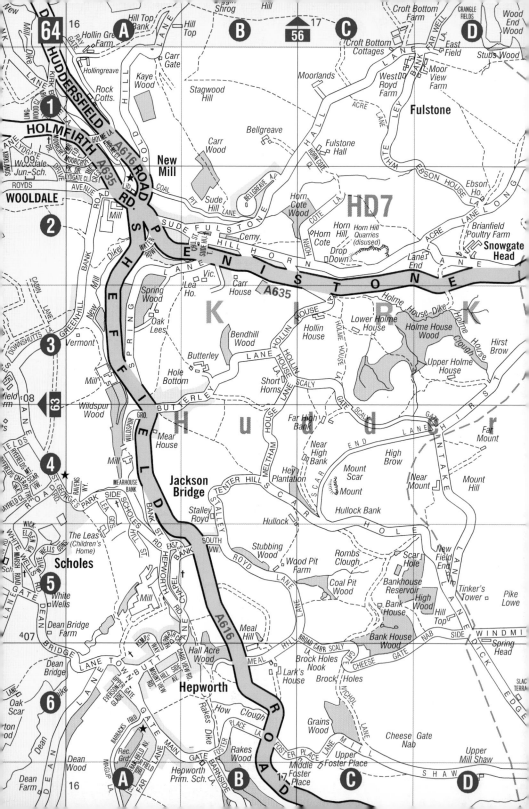

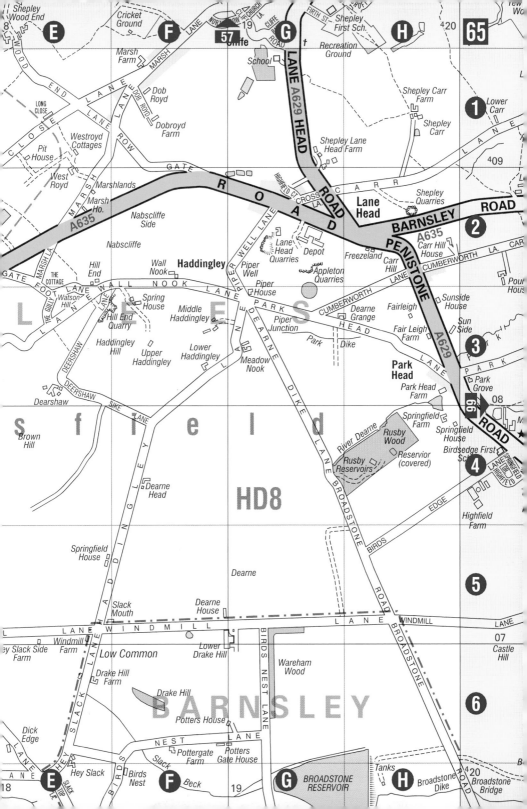

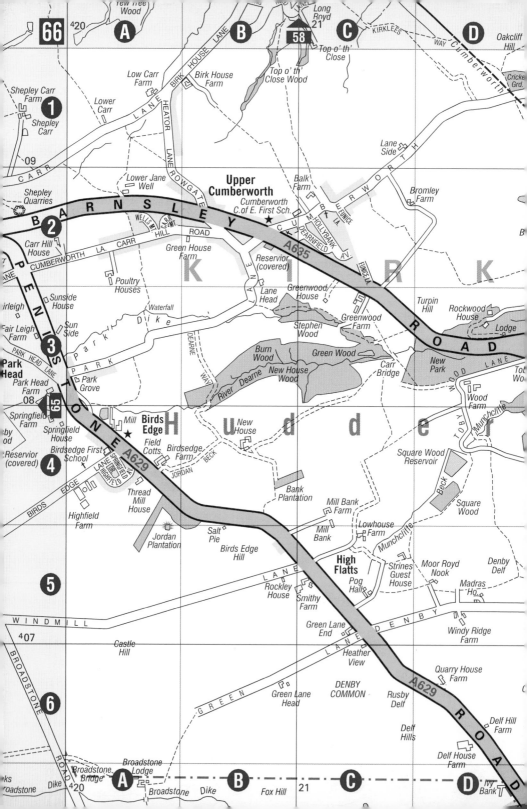

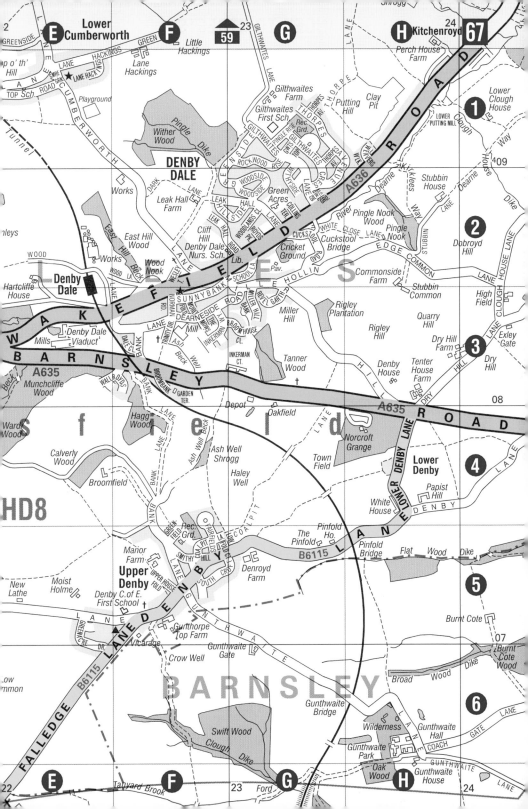

INDEX TO STREETS

HOW TO USE THIS INDEX

1. Each street name is followed by its Posttown or Postal Locality and then by its map reference; e.g. Abbey Dri. *Shep* —5H **57** is in the Shepley Postal Locality and is to be found in square 5H on page **57**. The page number being shown in bold type.
   A strict alphabetical order is followed in which Av., Rd., St., etc. (though abbreviated) are read in full and as part of the street name; e.g. Alder St. appears after Alderstone Rise but before Aldersyde.

2. Streets and a selection of Subsidiary names not shown on the Maps, appear in the index in *Italics* with the thoroughfare to which it is connected shown in brackets; e.g. Airedale Ho. —4E **15** (off Dale Clo.)

GENERAL ABBREVIATIONS

All : Alley
App : Approach
Arc : Arcade
Av : Avenue
Bk : Back
Boulevd : Boulevard
Bri : Bridge
B'way : Broadway
Bldgs : Buildings
Bus : Business
Cvn : Caravan
Cen : Centre
Chu : Church
Chyd : Churchyard
Circ : Circle
Cir : Circus

Clo : Close
Comn : Common
Cotts : Cottages
Ct : Court
Cres : Crescent
Dri : Drive
E : East
Embkmt : Embankment
Est : Estate
Gdns : Gardens
Ga : Gate
Gt : Great
Grn : Green
Gro : Grove
Ho : House
Ind : Industrial

Junct : Junction
La : Lane
Lit : Little
Lwr : Lower
Mnr : Manor
Mans : Mansions
Mkt : Market
M : Mews
Mt : Mount
N : North
Pal : Palace
Pde : Parade
Pk : Park
Pas : Passage
Pl : Place
Quad : Quadrant

Rd : Road
Shop : Shopping
S : South
Sq : Square
Sta : Station
St : Street
Ter : Terrace
Trad : Trading
Up : Upper
Vs : Villas
Wlk : Walk
W : West
Yd : Yard

POSTTOWN AND POSTAL LOCALITY ABBREVIATIONS

Ain T : Ainley Top
Alm : Almondbury
Arm B : Armitage Bridge
Asp : Aspley
Bklnd : Barkisland
Bat : Batley
Ber B : Berry Brow
Birds : Birdsedge
Bir : Birkby
B'shaw : Birkenshaw
Birs : Birstall
B'ley : Blackley
Bdly : Bradley
Bstfld : Briestfield
Brigh : Brighouse
Broc : Brockholes
Chick : Chickenley
Clay W : Clayton West
Cleck : Cleckheaton
Clif : Clifton
Clif C : Clifton Common
Cow : Cowlersley
Crack : Crackenedge
Cros H : Crosland Hill
Cros M : Crosland Moor
Cumb : Cumberworth
Dal : Dalton
Dart : Darton
D'tn : Deighton
Den D : Denby Dale
Dew : Dewsbury
Dew M : Dewsbury Moor
Earl : Earlsheaton
E Ard : East Ardsley
Eastb : Eastborough
Ell : Elland
Eml : Emley
Eml M : Emley Moor

Far T : Farnley Tyas
Far : Fartown
Fen B : Fenay Bridge
Fix : Fixby
Fla : Flatts, The
Floc : Flockton
Floc M : Flockton Moor
Flush : Flush
Gol : Golcar
Gom : Gomersal
Grng M : Grange Moor
G'lnd : Greetland
Haig : Haigh
Hal : Halifax
Hang H : Hanging Heaton
Harts : Hartshead
Heck : Heckmondwike
Hep : Hepworth
H Hoy : High Hoyland
H'town : Hightown
Hill : Hillhouse
Hip : Hipperholme
Holmb : Holmbridge
H'frth : Holmfirth
Holy G : Holywell Green
Hon : Honley
Horb : Horbury
Hov E : Hove Edge
Hud : Huddersfield
Huns : Hunsworth
Jack B : Jackson Bridge
Kbtn : Kirkburton
K'gte : Kirkhamgate
Khtn : Kirkheaton
Lep : Lepton
Lind : Lindley
Lint : Linthwaite
Lit T : Little Town

Liv : Liversedge
Lock : Lockwood
Lgwd : Longwood
Lwr C : Lower Cumberworth
Lwr D : Lower Denby
Lower : Lowerhouses
Lfds B : Lowfields Bus. Pk.
Mars : Marsden
Mar : Marsh
Mel : Meltham
Mel M : Meltham Mills
M'twn : Middlestown
Midg : Midgeley
Milns : Milnsbridge
Mir : Mirfield
Mold : Moldgreen
M'end : Moorend
Msde : Moorside
Morl : Morley
Mount : Mount
Nthng : Netherthong
Neth : Netherton
N Mill : New Mill
New : Newsome
Norr : Norristhorpe
Oak : Oakes
Oss : Ossett
Outl : Outlane
Ove : Overton
Pad : Paddock
Prim H : Primrose Hill
Quar : Quarmby
Ras : Rastrick
Raven : Ravensthorpe
Rav I : Ravensthorpe Ind. Est.
Rawf : Rawfolds
Raw : Rawmarsh
Rbtwn : Roberttown

Sal N : Salendine Nook
Sav T : Savile Town
Sca H : Scapegoat Hill
Schol : Scholes (Cleckheaton)
Sch : Scholes (Huddersfield)
Scis : Scissett
Sheep : Sheepridge
Shel : Shelley
Shep : Shepley
Sid : Siddal
Skelm : Skelmanthorpe
Slai : Slaithwaite
S Cro : South Crosland
S'wram : Southowram
Sow : Sowood
Stainc : Staincliffe
Slnd : Stainland
Stain : Stainton
Stkmr : Stocksmoor
Tan : Tandem
Tay H : Taylor Hill
Thon : Thongsbridge
Thorn : Thornhill
Thorn L : Thornhill Lees
Thor L : Thornton Lodge
Thur : Thurstonland
Ting : Tingley
Up Cum : Upper Cumberworth
Up Den : Upper Denby
Uthg : Upperthong
Wake : Wakefield
W'loo : Waterloo
Wgte : Westgate
Wtwn : Westtown
West I : West 26 Ind. Est.
W'ley : Whitley

INDEX TO STREETS

Abbey Dri. *Shep* —5H **57**
Abbey Farm Dri. *Shep* —6H **57**
Abbey Rd. *Bat* —2B **14**
Abbey Rd. *Hud* —1B **34**
Abbey Rd. *Shep* —6G **57**
Abbey Rd. N. *Shep* —5H **57**
Abbey Rd. S. *Shep* —6H **57**

Abbots Pl. *Hud* —3F **23**
Abbot St. *Hud* —3G **33**
Abb St. *Hud* —3F **33**
Abingdon St. *Hud* —1A **34**
Acorn Gro. *H'frth* —5H **63**
Acre Ho. Av. *Hud* —2E **33**
Acre La. *H'frth* —6B **62**

Acre La. *Mel* —5F **53**
Acre La. *N Mill* —1C **64**
(Fulstone)
Acre La. *N Mill* —2D **64**
(Snowgate Head)
Acre St. *Hud* —2D **32**
Acton Flat La. *Hud* —5C **20**

Adam Ct. *Hud* —1D **32**
Addison Ct. *Horb* —6H **29**
Addle Croft La. *Lep* —5C **36**
Adelaide Ter. *Holy G* —5D **18**
Adeline Ter. *H'frth* —5A **62**
Adelphi Rd. *Hud* —3E **33**
Agdil Cres. *Hal* —2C **8**

Aimbry Clo. *Hud* —2F **47**
Aimport Clo. *Brigh* —5B **10**
Ainley Bottom. *Ell* —3B **20**
Ainley Clo. *Hud* —6C **20**
Ainley Ind. Est. *Ell* —3C **20**
Ainley Pk. *Gol* —6A **32**
Ainley Pl. *Slai* —2A **42**
Ainley Rd. *Hud* —5C **20**
Ainley St. *Ell* —2B **20**
Ainsley La. *Mars* —4D **40**
Airedale Heights. *Wake* —4H **29**
Airedale Ho. Bat —4E **15**
(off Dale Clo.)
Aire St. *Brigh* —5B **10**
Aire St. *Dew* —3B **26**
Alandale Rd. *Hud* —2E **23**
Albany Dri. *Hud* —4G **35**
Albany Rd. *Dal* —4G **35**
Albany St. *Hal* —1A **8**
Albany St. *Hud* —6H **33**
Albany Ter. *Hal* —1A **8**
Albert Clo. *Bat* —4E **15**
Albert Rd. *Clay W* —4C **60**
Albert St. *Cleck* —4B **4**
(in two parts)
Albert St. *Ell* —2B **20**
Albert St. *Hud* —1H **45**
Albert St. *Liv* —3G **13**
Albert Yd. *Hud* —4A **34**
Albion Ct. *Heck* —2H **13**
Albion Croft. *Oss* —2E **29**
Albion Pl. Brigh —3A **10**
(off Waterloo Rd.)
Albion Rd. *Dew* —1G **39**
Albion St. *Bat* —2F **15**
(in two parts)
Albion St. *Brigh* —3A **10**
Albion St. *Cleck* —5C **4**
Albion St. *Dew* —5E **15**
Albion St. *Ell* —2B **20**
Albion St. *Heck* —2G **13**
Albion St. *Hud* —5A **34**
Albion St. *Liv* —2E **13**
Albion St. *Raven* —3B **26**
Aldams Rd. *Dew* —1E **27**
Alden Av. *Morl* —2H **7**
Alden Clo. *Morl* —2H **7**
Alder Av. *H'frth* —6G **55**
Alderstone Rise. *Hud* —6C **20**
Alder St. *Hud* —2B **34**
Aldersyde. *Bat* —3A **6**
Aldonley. *Hud* —5G **35**
Alegar St. *Brigh* —4C **10**
Alexandra Av. *Birs* —3B **6**
Alexandra Cres. *Hud* —5C **14**
Alexandra Cres. *Ell* —1D **20**
Alexandra Rd. *Bat* —2F **15**
Alexandra Rd. *Hud* —2E **23**
Alexandra Rd. W. *Hud* —5E **33**
Alexandra St. *Liv* —2E **13**
Alfred St. *Bat* —2D **14**
Alfred St. *Brigh* —3B **10**
Alfred St. *Dew* —5F **15**
Alfred St. *G'lnd* —1H **13**
Alfred St. *Heck* —3H **13**
Alfred St. *Hud* —5A **34**
Alfred St. *Liv* —2E **13**
Alfreds Way. *Bat* —1E **15**
Alice St. *Cleck* —4B **4**
Allergill Pk. *H'frth* —3B **62**
Allison Dri. *Hud* —6B **22**
Allison Ter. *K'gte* —4H **17**
Alma Dri. *Hud* —4D **34**
Alma La. *Heck* —6H **5**

Almondbury Bank. *Hud* —5D **34**
Almondbury Clo. *Hud* —1G **47**
Almondbury Comn. *Hud* —3F **47**
Almondroyd. *Heck* —1G **13**
Almond Way. *Bat* —3B **6**
Almscliffe Av. *Dew* —6G **15**
Alpine Clo. *Bat* —2D **14**
Alton Av. *Hud* —3F **35**
Alwen Av. *Hud* —6H **21**
Amber St. *Bat* —5C **6**
America La. *Brigh* —4C **10**
America Moor La. *Morl* —2H **7**
Amport Clo. *Brigh* —5B **10**
Anchor Bri. Way. *Dew* —1E **27**
Anchor Ct. *Kbtn* —6A **48**
Anchor Pl. *Brigh* —6D **10**
Anchor St. *Hud* —3B **34**
Andrew Clo. *Hal* —2C **8**
Andrew Cres. *H'frth* —3C **44**
Anne's Ct. *Hal* —2C **8**
Anne St. *Bat* —5C **6**
Annottes Croft. *Hud* —3F **35**
Anroyd St. *Dew* —5C **14**
Antony Clo. *Hud* —1H **31**
Anvil St. *Brigh* —3A **10**
Apple Clo. *Birs* —2C **6**
April Ct. *Liv* —4E **13**
Aquamarine Dri. *Far* —6C **22**
Aquila Way. *Liv* —1B **12**
Arborary La. *H'frth* —6B **44**
*Arcade, The. Dew —6F **15**
(off Market St.)
Archbell Av. *Brigh* —6B **10**
Archer Rd. *Brigh* —5D **10**
Arden Ct. *Hud* —3A **36**
Argyle St. *Mars* —4F **41**
Arkenley La. *Hud* —2F **47**
Arkenmore. *Hud* —3F **35**
Arley Clo. *H'frth* —6D **54**
Arlington M. *Heck* —3A **14**
Armitage Av. *Brigh* —6B **10**
Armitage Bri. Mills. *Hud* —4G **45**
Armitage Rd. *Arm B* —4G **45**
Armitage Rd. *Bir* —1H **33**
Armitage Rd. *Milns* —5D **32**
Armitage St. *Dew* —3H **25**
Armitage St. *Prim H* —6A **34**
Armoury Av. *Mir* —3E **25**
Armytage Cres. *Hud* —1H **45**
Armytage Rd. *Brigh* —4C **10**
Armytage Way. *Brigh* —5D **10**
Arncliffe Ct. *Hud* —3G **33**
Arncliffe Cres. *Brigh* —6G **9**
Arncliffe Gdns. *Bat* —1D **14**
Arncliffe Rd. *Bat* —1C **14**
Arndale Gro. *H'frth* —4F **63**
Arnold Av. *Hud* —1H **33**
Arnold Royd. *Brigh* —1G **21**
Arnold St. *Hud* —1H **33**
Arran Clo. *Gol* —5H **31**
Arrunden La. *H'frth* —6D **62**
Arthur Gro. *Bat* —4B **6**
Arthur St. *Brigh* —4C **10**
Arthur St. *Gol* —6A **32**
Artillery St. *Heck* —3H **13**
Arundel Clo. *Bat* —2D **6**
Arundel Wlk. *Bat* —3D **6**
Ascot Gro. *Brigh* —6G **9**
Ashbourne Av. *Cleck* —6B **4**
Ashbourne Croft. *Cleck* —6B **4**
Ashbourne Dri. *Cleck* —6B **4**
Ashbourne Gdns. *Cleck* —6B **4**
Ashbourne View. *Cleck* —6B **4**
Ashbourne Way. *Cleck* —6B **4**
Ashbrook Clo. *Oss* —1D **28**

Ash Brow. *Floc* —1E **51**
Ash Brow Rd. *Hud* —5B **22**
Ashby Clo. *Liv* —5D **12**
Ash Clo. *Oss* —3D **28**
Ashday La. *Hal* —3C **8**
Ashenhurst Av. *Hud* —1C **46**
Ashenhurst Clo. *Hud* —1B **46**
Ashenhurst Rise. *Hud* —1B **46**
Ashenhurst Rd. *Hud* —1B **46**
Ashes La. *Ber B* —4B **46**
Ashfield. *Dew* —4F **27**
Ashfield Av. *Morl* —1H **7**
Ashfield Av. *Skelm* —5G **59**
Ashfield Rd. *Birs* —2C **6**
Ashfield Rd. *G'lnd* —1F **19**
Ashfield Rd. *Hud* —1G **33**
Ashfield Rd. *Morl* —1H **7**
Ashfield St. *Hud* —6B **22**
Ashfield Ter. *G'lnd* —1F **19**
*Ashfield Ter. Mar —5C **4**
(off Pyenot Hall La.)
Ashford Ct. *Kbtn* —5D **48**
Ashford Pk. *Gol* —5H **31**
Ash Gro. *Cleck* —6A **4**
Ash Gro. *Clif C* —3C **10**
Ash Gro. *Gom* —3E **5**
Ashgrove Av. *Hal* —3A **8**
Ashgrove Pl. *Hal* —3A **8**
Ashgrove Rd. *Bdly* —6F **23**
Ash Gro. Rd. *H'frth* —3C **62**
*Ash Gro. Ter. Brigh —5A **10**
(off Thomas St.)
Ash La. *Eml* —6G **51**
Ashlea Av. *Brigh* —6B **10**
Ashlea Clo. *Brigh* —6B **10**
Ashlea Dri. *Brigh* —6B **10**
Ashleigh Clo. *Shel* —4H **57**
Ashleigh Dale. *Hud* —1F **33**
Ashleigh Gdns. *Oss* —6C **16**
Ashley Clo. *Gom* —2E **5**
Ashley Ind. Est. *Oss* —1E **29**
Ashmead. *Bat* —3C **14**
Ash Meadow Clo. *Hud* —5C **22**
Ashmere Gro. *Hud* —6C **22**
Ashmore Dri. *Oss* —5C **16**
Ash St. *Cleck* —5A **4**
Ash St. *Hud* —2A **34**
(in two parts)
Ashton Clough Rd. *Liv* —2E **13**
Ash Wlk. *Gol* —5A **32**
Ashwood Clo. *Hud* —5C **22**
Ashworth Clo. *Dew* —6E **15**
Ashworth Gdns. *Dew* —6E **15**
Ashworth Grn. *Dew* —6E **15**
Ashworth Rd. *Dew* —6E **15**
Aspen Ct. *Eml* —5E **51**
Aspen Gro. *Dew* —6D **14**
Aspley Pl. *Hud* —4B **34**
Asquith St. *Birs* —2D **6**
Aston Clo. *Liv* —4D **12**
Aston Ct. *Oss* —3G **29**
*Atamco Ho. Cleck —5C **4**
(off Albion St.)
Athene Dri. *Hud* —1C **46**
Atherton La. *Brigh* —6B **10**
Athlone Dri. *Dew* —4G **15**
Athold Dri. *Oss* —3F **29**
Athold St. *Oss* —3F **29**
Atlas Mill Rd. *Brigh* —4A **10**
Audrey St. *Oss* —4E **29**
Austin Av. *Brigh* —2H **9**
Avenue No.1. *Brigh* —5A **10**
Avenue No.2. *Brigh* —5A **10**
Avenue, The. *Bat* —5C **6**
Avenue, The. *Birs* —3A **6**
(in two parts)

Avenue, The. *Dew* —3B **14**
Avenue, The. *Hud* —5D **34**
Avison Rd. *Hud* —1C **44**
Avon Ct. *Oss* —3C **28**
Avon Croft. *Oss* —3C **28**
Ayres Dri. *Cow* —1C **44**
Aysgarth Rd. *Bat* —1C **14**
Aysgarth Rd. *Hud* —2B **46**
Ayton Rd. *Hud* —4A **32**

Bk. Armitage Rd. *Hud* —4G **45**
Bk. Beaumont St. *Bat* —3E **15**
Bk. Beech Ter. *Hud* —1B **34**
Bk. Bower Rd. *Ell* —1C **20**
Bk. Bowling Grn. Rd. *Slnd*
—5D **18**
Bk. Bradshaw Rd. *Hon* —3D **54**
Bk. Brunswick St. *Dew* —4F **15**
Bk. Carlinghow La. *Bat* —5A **6**
Bk. Cecil St. *Hud* —4A **34**
*Bk. Charles St. Brigh —3A **10**
(off Charles St.)
Bk. Clifton Rd. *Hud* —3G **33**
*Bk. Cross La. Ell —2A **20**
(off Linden Rd.)
Bk. Eldon Rd. *Hud* —3F **33**
Bk. Fitzwilliam St. *Hud* —4H **33**
Bk. Gooder La. *Brigh* —5B **10**
Bk. Greenhead Rd. *Hud* —4H **33**
Bk. Henrietta St. *Bat* —1E **15**
Backhold. *Hal* —3A **8**
Backhold Av. *Hal* —4A **8**
Backhold Dri. *Hal* —4A **8**
Backhold La. *Hal* —4A **8**
Backhold Rd. *Hal* —4A **8**
Bk. Honoria St. *Hud* —1A **34**
Bk. Knowl Rd. *Mir* —2D **24**
Back La. *Bstfld* —3A **38**
Back La. *Clay W* —3D **60**
Back La. *Dew* —1A **38**
(in three parts)
Back La. *Eml* —1G **59**
Back La. *Grng M* —5H **37**
Back La. *Heck* —2H **13**
Back La. *H'frth* —3E **63**
Back La. *Mir* —3F **37**
(Liley La.)
Back La. *Mir* —3C **24**
(Stocks Bank Rd.)
Back La. *Oss* —3D **28**
Back La. *Shel* —3B **58**
Back La. *Slai* —6C **42**
Back La. *Uthg* —2B **62**
Bk. Marriot St. *Dew* —5F **15**
Bk. Moor La. *Hud* —5F **45**
Bk. Mount Av. *Bat* —3F **15**
Bk. Nelson St. *Dew* —6E **15**
*Bk. New St. Slnd —5D **18**
(off High St. Stainland,)
Back O'dam. *Slai* —4E **43**
Back O'wall. *Slai* —1A **42**
Bk. Providence St. *Bat* —1E **15**
Bk. Purlwell Hall Rd. *Bat* —3E **15**
Bk. Purlwell La. *Bat* —2E **15**
Bk. Queen St. *G'lnd* —2G **19**
Bk. Queen St. *Hud* —5B **34**
Bk. Ravens St. *Dew* —2C **26**
Bk. Slaithwaite Rd. *Dew* —4E **27**
Bk. South Pde. *Ell* —3B **20**
Bk. South St. *Pad* —5F **33**
Bk. Springfield Rd. *Ell* —1C **20**
Bk. Spring St. *Hud* —4H **33**
Bk. Stanley St. *Hud* —1G **45**
Bk. Station Rd. *Bat* —2F **15**
Bk. Station Rd. *Mir* —4E **25**

Bk. Thornhill Rd. *Hud* —4C **32**
Bk. Union St. *Hud* —3B **34**
Bk. Warwick Ter. *Bat* —3F **15**
Bk. Waverley Rd. *Ell* —3B **20**
Bk. Webster St. *Dew* —6E **15**
Bk. Wentworth St. *Hud* —3H **33**
Bk. William St. *Brigh* —5A **10**
  (off William St.)
Baden Ter. Cleck —5B **4**
  (off Tofts Rd.)
Badger Brow. *Mel* —4D **52**
Badger Ga. *Mel* —4D **52**
Badger Hill. *Brigh* —2G **21**
Bagden La. *Clay W* —6B **60**
Baghill Rd. *Ting* —1D **16**
Baines St. *Bat* —2D **14**
Baker Cres. *Morl* —1H **7**
Baker Rd. *Morl* —1H **7**
Baker St. *Hud* —2D **32**
Baker St. *Morl* —1H **7**
Balderstone Hall La. *Mir* —2G **25**
Balk La. *Hud* —3H **35**
Balk La. *Up Cum* —4C **58**
Balks. *Liv* —2D **12**
Balk St. *Bat* —1D **14**
Balk, The. *Bat* —5E **7**
Ballater Av. *Hud* —2E **45**
Ballroyd Clough. *Hud* —3C **32**
  (in two parts)
Ballroyd La. *Hud* —4C **32**
Ball Royd Rd. *Hud* —6B **22**
Balme Rd. *Cleck* —4B **4**
Balmfield. *Liv* —4E **13**
Balmfield Cres. *Liv* —4E **13**
Balmoral Av. *Hud* —2E **45**
Bancroft Av. *Hud* —5E **35**
Bank Bottom. *Mars* —6A **42**
Bank Bldgs. *Mel* —5E **53**
Bank End. *G'lnd* —1B **18**
Bank End La. *H Hoy* —5E **61**
Bank End La. *Hud* —6E **35**
Bank End Rd. *Slai* —1F **43**
Bankfield. Mars —4G **41**
  (off Manchester Rd.)
Bankfield. *Shel* —4H **57**
Bankfield Av. *Hud* —2H **35**
Bankfield Clo. *Oss* —4F **29**
Bankfield Ct. *Hud* —5D **34**
Bankfield Ct. *Mir* —3D **24**
Bankfield Dri. *H'frth* —6A **62**
Bankfield Gdns. *Hal* —1B **8**
Bankfield Grange. *G'lnd* —1G **19**
Bankfield La. *Hud* —2H **35**
Bankfield Pk. Av. *Hud* —3G **45**
Bank Field Rd. *Bat* —1E **15**
Bankfield Rd. *Hud* —5H **33**
Bankfield Ter. *Arm B* —4G **45**
Bank Foot La. *Hud* —5G **45**
Bank Foot Pl. *Bat* —1E **15**
Bankfoot Rd. *Hud* —4F **47**
Bank Foot St. *Bat* —1E **15**
Bank Gate. *Slai* —3D **42**
Bank Gro. *Dew* —1A **28**
Bank Hall Gro. *Shep* —6H **57**
Bank Ho. *Slnd* —4B **18**
Bankhouse La. *Hud* —5E **33**
Bankhouse Rd. *Milns* —5D **32**
Banks App. *Gol* —5G **31**

Banks Av. *Gol* —5G **31**
Banks Cres. *Gol* —5H **31**
Banks Dri. *Gol* —5H **31**
Banks End. *Ell* —2E **21**
Banks End Rd. *Ell* —2E **21**
Banks Gro. *Gol* —5H **31**
Bankside. *Shel* —4H **57**
Banks Rd. *Gol* —5H **31**
Banks Rd. *Hon* —3E **55**
Banks Rd. *Slai* —4F **43**
Banks Side. *Gol* —5H **31**
Banks St. *Bat* —2E **15**
Bank St. *Brigh* —4A **10**
Bank St. *Cleck* —5A **4**
Bank St. *Dew* —6F **15**
Bank St. *Liv* —2F **13**
Bank St. *Mir* —3C **24**
Bank St. *N Mill* —4A **64**
Bank St. *Oss* —3D **28**
Bank St. *Slai* —3D **42**
Banksville. *H'frth* —1F **63**
Bank Top. *S'wram* —1A **8**
Bank View. *Broc* —4G **55**
Bank View. *Dew* —1A **28**
Bankwell Rd. *Hud* —6D **32**
Bankwood Way. *Birs* —1D **6**
Bank Yd. *Oss* —3D **28**
Baptist La. *Oss* —4H **29**
Baptist St. *Bat* —3C **14**
Barber Row. *Lint* —3H **43**
Barber Sq. *Heck* —2G **13**
Barber St. *Brigh* —3B **10**
Barber Wlk. Dew —6E **15**
  (off Wellington Wlk.)
Bar Croft. *Khtn* —1H **35**
Barcroft Rd. *Hud* —2H **45**
Barden Clo. *Bat* —1D **14**
Bargate. *Lint* —2H **43**
Barge St. *Hud* —6H **33**
Bargreen. *Khtn* —1H **35**
Bark Clo. *Shel* —3A **58**
Barker Clo. *Hal* —3A **8**
Barker Ct. *Bir* —1G **33**
Barker Ho. *Hal* —3A **8**
Barker Rd. *Horb* —6F **29**
Barker St. *Liv* —2F **13**
Bark Ho. La. *Shel* —3B **58**
Bar La. *Midg* —2H **51**
Barlbrough Pl. *Hud* —5C **32**
Barley Croft. *Dew* —6B **14**
Barmby Clo. *Oss* —4F **29**
Barmby Cres. *Oss* —4G **29**
Barmby Royd. *Hud* —3E **35**
Barncliffe Hill. *Shel* —5C **58**
Barnet Gro. *Morl* —2H **7**
Barnside La. *H'frth* —6B **64**
Barnsley Rd. *Grng M* —1A **50**
Barnsley Rd. *Scis* —5C **60**
Barnsley Rd. *Up Cum* —2H **65**
Barracks Fold. *H'frth* —6A **64**
Barracks St. *Heck* —2G **13**
Barrington Clo. *Hal* —2C **8**
Barrington Pde. *Gom* —4E **5**
Barrowstead. *Skelm* —5H **59**
Barr St. *Hud* —2C **34**
Barsley Grn. La. *Bklnd* —2A **18**
Bar St. *Bat* —2F **15**
Barton Mnr. Clo. *Hud* —2D **44**
Barton Pl. *Bat* —2E **15**
Barton St. Brigh —3A **10**
  (off Manley St.)
Basil St. *Hud* —6F **33**
Bath Pl. *Cleck* —5B **4**
Bath Rd. *Cleck* —5B **4**
Bath Rd. *Heck* —2H **13**
Bath St. *Bat* —1F **15**

Bath St. *Dew* —5E **15**
Bath St. *Ell* —2B **20**
Bath St. *Hud* —3A **34**
Bath St. *Lock* —1H **45**
Batley Av. *Hud* —4F **33**
Batley Bus. Cen. *Bat* —6D **6**
Batley Enterprise Cen. *Bat* —6D **6**
Batley Field Hill. *Bat* —6E **7**
Batley Rd. *Heck* —2A **14**
Batley Rd. *Ting & K'gte* —1D **16**
Batley St. *Hud* —4D **34**
Battinson's St. *Hal* —1A **8**
Battye Av. *Hud* —1D **44**
Battye St. *Dew* —5F **15**
Bawson Ct. *Gom* —3E **5**
Bay Clo. *Hud* —3E **33**
Bay Hall Comn. Rd. *Hud* —2A **34**
Bayldons Pl. *Bat* —1E **15**
Beaconsfield St. *Hal* —1A **8**
Beacon St. *Dew* —2A **26**
Beacon St. *Hud* —1A **34**
Beaden Dri. *Lep* —2C **48**
Beadon Av. *Hud* —5H **35**
Beagle Av. *Hud* —3E **45**
Bean St. *Ell* —2E **21**
Beast Mkt. *Hud* —4B **34**
Beatrice St. *Cleck* —4B **4**
Beaumont Av. *Hud* —5D **34**
Beaumont Ct. Bat —2E **15**
  (off Bank St.)
Beaumont Pk. Rd. *Hud* —4F **45**
Beaumont Pl. *Bat* —2B **14**
Beaumont St. *Bat* —2E **15**
Beaumont St. *Eml* —5E **51**
Beaumont St. *Hud* —3B **34**
Beaumont St. *Lgwd* —5B **32**
Beaumont St. *Mold* —5D **34**
Beaumont St. *Neth* —5E **45**
Beaver Dri. *Dew* —1B **26**
Beck Bottom. *K'gte* —3H **17**
Beckett Clo. *Horb* —6H **29**
Beckett Cres. *Dew* —6B **14**
Beckett Gro. *Dew* —1B **26**
Beckett La. *Dew* —1B **26**
Beckett Rd. *Dew* —4D **14**
  (in two parts)
Beckett Sq. *Kbtn* —6D **48**
Beckett St. *Bat* —3E **15**
Beckett Wlk. *Dew* —1B **26**
Beck La. *Heck* —3G **13**
Beck Rd. *Hud* —2A **34**
Becks Ct. *Dew* —2H **27**
Beckside Gdns. *W'loo* —6A **36**
Bedale Av. *Brigh* —6G **9**
Bedale Av. *Skelm* —5F **59**
Bedale Dri. *Skelm* —5F **59**
Bedford Av. *Grng M* —5A **38**
Bedford Clo. *Lep* —1C **48**
Bedford St. *Ell* —2B **20**
Bedlam Rd. *Mel* —5C **52**
Beech Av. *Gol* —5A **32**
Beech Av. *H'frth* —5G **55**
Beech Av. *Hud* —5E **35**
Beech Ct. *Oss* —2C **28**
Beechdale Av. *Bat* —5C **6**
Beechfield Av. *Skelm* —5G **59**
Beechfield Rd. *Hud* —1G **33**
Beechfield Ter. Cleck —5C **4**
  (off Mayfield Ter.)
Beech Gro. *Gom* —3E **5**
Beech Gro. *Heck* —1G **13**
Beech Gro. *Morl* —1H **7**
Beech St. *Ell* —2B **20**
Beech St. *H'frth* —3E **63**
Beech St. *Holy G* —4E **19**
Beech St. *Hud* —5E **33**

Beech St. *Mir* —3E **25**
Beech Wlk. *B'shaw* —1F **5**
Beech Wlk. Dew —6E **15**
  (off Swindon Rd.)
Beech Way. *Birs* —2C **6**
Beechwood Av. *Mir* —3E **25**
  (in two parts)
Beechwood Gro. *Fix* —4A **22**
Beechwood Rd. *Mir* —2E **25**
Beestonley La. *Slnd* —4H **17**
Belgrave Av. *Oss* —4E **29**
Belgrave St. *Oss* —3E **29**
Belgrave Ter. *Hud* —3H **33**
Belle Vue Cres. *Hud* —5C **22**
Belle Vue St. *Bat* —1B **14**
Bellevue Ter. *Hal* —1A **8**
Bellgreave Av. *N Mill* —2B **64**
Bellspring La. *Mir* —1C **36**
Bell St. *Dew* —3A **26**
Bell St. *Hud* —6B **34**
Belmont Clo. Hud —3A **34**
  (off Belmont St.)
Belmont Ct. Hud —3A **34**
  (off Belmont St.)
Belmont St. *Hud* —3A **34**
Belmont St. *Slai* —4E **43**
Belton Gro. *Hud* —6D **20**
Belton St. *Hud* —5E **35**
Belvedere Rd. *Bat* —3D **14**
Bempton Gro. *Birs* —2B **6**
Ben Booth La. *Grng M* —5A **38**
Bendigo Rd. *Dew* —5H **15**
Benjamin St. *Liv* —3F **13**
Benjamin Sykes Way. *Wake* —4H **29**
Bennett La. *Bat & Dew* —3G **15**
Bennett St. *Hal* —1A **8**
Bennett St. *Liv* —2F **13**
Benn La. *Lgwd* —4B **32**
Benny. La. *Slai* —1F **43**
Benny Parr Clo. *Bat* —1G **15**
Benomley Cres. *Hud* —1E **47**
Benomley Dri. *Hud* —1E **47**
Benomley Rd. *Hud* —1E **47**
Benroyd Ter. *Holy G* —5G **19**
  (in two parts)
Bent Ho. *Mel* —5E **53**
Bent Lea. *Hud* —2F **23**
Bent Ley Rd. *Mel* —3G **53**
Bentley St. *Hud* —1G **45**
Benton Cres. *Horb* —6H **29**
Bents La. *H'frth* —1G **41**
  (in two parts)
Bent St. *Hud* —6B **34**
Bernard St. *Hud* —5E **23**
Berry Bank La. *Thon* —6F **55**
Berry Croft. *Hon* —1D **54**
Berry Rd. *Mel* —3D **52**
Berry's Yd. *Horb* —6H **29**
Berry View. *Hud* —3H **45**
Berwick Av. *Heck* —6H **5**
Best La. *Hud* —6D **46**
Bethel St. *Brigh* —4B **10**
Betula Way. *Lep* —2C **48**
Beverley Clo. *Ell* —1D **20**
Beverley Clo. *Hud* —6B **22**
Beverley Dri. *Dew* —6H **15**
Beverley Gdns. *Bat* —2D **6**
Bevor Cres. *Heck* —6H **5**
Bilham Rd. *Clay W* —4E **61**
Bill La. *H'frth* —1G **63**
Binham Rd. *Hud* —2F **33**
Binn La. *Mars* —6G **41**
Binn Rd. *Mars* —5F **41**
Binns La. *H'frth* —3D **62**
Binns Top La. *Hal* —3C **8**

Birch Av. *Lep* —2C **48**
Birch Clo. *Brigh* —3C **10**
Birchen Av. *Oss* —3C **28**
Birchencliffe Hill Rd. *Hud*
     —6D **20**
Birchen Hills. *Oss* —3C **28**
Birchfield Gro. *Skelm* —5G **59**
Birch Gro. *Bat* —4C **6**
Birch Gro. *Gol* —5A **32**
Birchington Av. *Hud* —6C **20**
Birchington Clo. *Hud* —6D **20**
Birchington Dri. *Hud* —6C **20**
Birch Pk. *Broc* —4H **55**
Birch Rd. *Hud* —3G **45**
Birchwood Av. *Birs* —2B **6**
Birchwood Clo. *Hud* —6F **21**
Birchwood Ct. *Liv* —3F **13**
Birds Edge La. *Birds* —5H **65**
Birds Nest La. *Cumb* —6F **65**
Birds Royd La. *Brigh* —5B **10**
Birdswell Av. *Brigh* —3D **10**
Birkby Brow Cres. *Bat* —2D **6**
Birkby Croft. Hud —1H **33**
  (off Crescent Rd.)
Birkby Fold. *Hud* —2G **33**
Birkby Hall Rd. *Hud* —1G **33**
Birkby Lodge Rd. *Hud* —1G **33**
Birkby Rd. *Hud* —6E **21**
Birkdale Av. *Hud* —2C **32**
Birkdale Gro. *Dew* —4C **14**
Birkdale Rd. *Dew* —5D **14**
Birkett St. *Cleck* —4B **4**
Birkhead St. *Heck* —3A **14**
Birkhouse La. *Mold* —5D **34**
Birkhouse La. *Pad & Hud*
     —5G **33**
Birk Ho. La. *Up Cum* —1A **66**
Birklands Rd. *Hud* —6H **21**
Birksland Moor. *B'shaw* —1F **5**
Birks La. *Fen B* —1G **47**
Birks La. *Hud* —3F **57**
Birks Rd. *Lgwd* —5C **32**
Birmingham La. *Mel* —3C **52**
Bishops Ct. *Ber B* —5H **45**
Bishops Way. *Mel* —4E **53**
Bishops Way. *Mir* —1B **24**
Blackburn Pl. *Bat* —1F **15**
Blackburn Rd. *Birs* —3A **6**
Blackburn Rd. *Brigh* —2H **9**
Blacker Rd. *Hud* —3H **33**
Blacker Rd. N. *Hud* —2H **33**
Blackers Ct. *Dew* —4D **26**
Blackhouse Rd. *Hud* —6B **22**
Black La. *Lint* —5A **44**
Blackley Rd. *Ell* —3H **19**
Blackmoorfoot Rd. *Cros H*
     —1E **45**
Blackmoorfoot Rd. *Mel* —2B **52**
Black Sike La. *H'frth* —3A **62**
Blacksmith Fold. *Alm* —1F **47**
Blacksmiths Fold. *Alm* —2F **47**
Blacup Moor View. *Cleck* —5B **4**
Blagden La. *Hud* —3H **45**
Blaithroyd La. *Hal* —1A **8**
Blake Hall Dri. *Mir* —4F **25**
Blake Hall Rd. *Mir* —4G **25**
Blakeholme Clo. *Slai* —4C **42**
Blake Law Dri. *Clif* —3D **10**
Blake Law La. *Brigh* —4F **19**
Blake Lee La. *Mars* —3B **40**
Blakeridge La. *Bat* —1D **14**
Blakestones Rd. *Slai* —4C **42**
Bland St. *Hud* —6H **33**
Blanket Hall St. *Heck* —3H **13**
Bleak St. *Gom* —4G **5**
Bleak St. Lwr. *Gom* —4G **5**

Bleasdale Av. *Hud* —1H **33**
Blenheim Dri. *Bat* —6E **7**
Blenheim Dri. *Dew* —5C **14**
Blenheim Hill. *Bat* —5F **7**
Blenheim Sq. *Bat* —6E **7**
Blenheim Ter. *Bat* —6E **7**
Blind La. *E Ard* —1G **17**
Bluebell Ct. *Birs* —2A **6**
Blue Bell Hill. *Hud* —2H **45**
Blue Butts. *Oss* —3C **28**
Boathouse La. *Mir* —5G **25**
Boggart La. *Skelm* —3G **59**
Bog Grn. La. *Hud* —3H **23**
Boldgrove St. *Dew* —2A **28**
Bolehill Pk. *Hov E* —1G **9**
Bolstermoor Rd. *Gol* —6E **31**
Bonaccord Sq. Bat —2E **15**
  (off Purlwell La.)
Bonaccord Ter. Bat —2E **15**
  (off Greatwood St.)
Bond St. *Bat* —6E **7**
Bond St. *Birs* —3A **6**
Bond St. *Brigh* —3A **10**
Bond St. *Dew* —6E **15**
Bonegate Av. *Brigh* —3B **10**
Bonegate Rd. *Brigh* —3A **10**
Bookers Field. *Gom* —6G **5**
Booth Ho. La. *H'frth* —4A **62**
Booth La. *Eml* —2G **59**
Boothroyd Ct. *Kbtn* —6A **48**
Boothroyd Dri. *Hud* —1D **44**
Boothroyd Grn. *Dew* —6D **14**
Booth Royd La. *Brigh* —6F **9**
Boothroyd La. *Dew* —6C **14**
Booth St. *Cleck* —4B **4**
Border Clo. *Hud* —1B **32**
Borrowdale Rd. *Dew* —4G **15**
Botany La. *Lep* —5C **36**
Botham Hall Rd. *Hud* —4B **32**
Bottom La. *H'frth* —1G **63**
Bottomley La. *Bklnd* —6A **18**
Bottomley St. *Brigh* —2A **10**
Bottoms. *Hal* —3A **8**
Bouldergate. Mars —4H **41**
  (off Meltham Rd.)
Boulevard Ct. Kbtn —6A **48**
  (off Storthes Hall la.)
Boundary Rd. *Dew* —4B **14**
Boundary St. *Heck* —2G **13**
Boundary Ter. Dew —3B **14**
  (off Halifax Rd.)
Bourne View Clo. *Hud* —5F **45**
Bourne View Rd. *Hud* —5F **45**
Bower La. *Dew* —3B **14**
Bowers La. *Bklnd* —2B **18**
Bower, The. *Bat* —5B **6**
Bowling All. *Brigh* —6A **10**
Bowling All. Ter. *Brigh* —6A **10**
Bowling Ct. *Brigh* —3H **9**
Bowling Grn. Ct. *Hud* —3A **32**
Bowling Grn. Ct. Slnd —5D **18**
  (off Bk. Bowling Grn. Rd.)
Bowling Grn. Rd. *Slnd* —5D **18**
Bowling St. *Hud* —6C **32**
Bowness Dri. *Hud* —3D **34**
Bowood Rd. *Ell* —3B **20**
Bow St. *Hud* —5H **33**
Box Bldgs. *Bat* —6B **6**
Boxhill Rd. *Ell* —2B **20**
Box Ings La. *Kbtn* —3G **57**
Bracewell Rd. *Mel* —5C **52**
Bracken Av. *Brigh* —1A **10**
Bracken Clo. *Brigh* —1A **10**
Bracken Clo. *Mir* —1B **24**
Bracken Gro. *Hud* —4B **22**
Bracken Gro. *Mir* —1B **24**

Bracken Hall Rd. *Hud* —5C **22**
Bracken Hill. *Mir* —1B **24**
Bracken Rd. *Brigh* —2A **10**
Bracken Sq. *Hud* —4C **22**
Bradbury St. *Dew* —3H **25**
Bradcroft. Hud —1B **34**
  (off Bradford Rd.)
Bradd Clo. *Liv* —1F **13**
Bradfield Clo. *Hud* —3E **23**
Bradford Rd. *Birs & Bat* —2G **5**
Bradford Rd. *Brigh* —2B **10**
Bradford Rd. *Cleck* —1A **4**
Bradford Rd. *Dew* —5E **15**
Bradford Rd. *Gom* —1E **5**
Bradford Rd. *Hud* —3A **34**
Bradford Rd. *Raw & Liv* —6D **4**
Bradford St. *Dew* —5F **15**
Bradley Boulevd. *Hud* —5C **22**
Bradley Colliery La. *Hud* —4F **23**
Bradley Ct. *G'lnd* —2F **19**
Bradley Grange Gdns. *Hud*
     —2F **23**
Bradley La. *G'lnd* —2F **19**
Bradley Mills Rd. *Hud* —2C **34**
  (in two parts)
Bradley Quarry Clo. *Hud* —2G **23**
Bradley Rd. *Hud* —2C **22**
Bradley St. *Hud* —4B **34**
Bradley View. *Holy G* —4F **19**
Bradshaw Av. *Hon* —3C **54**
Bradshaw Clo. *Hon* —3C **54**
Bradshaw Cres. *Hon* —3C **54**
Bradshaw Dri. *Hon* —3C **54**
Bradshaw La. *Slai* —2A **42**
Bradshaw Rd. *Hon* —5C **54**
Bradshaw Rd. *Uthg* —1A **62**
Bradwell La. *Oss* —3E **29**
Bramble Wlk. *Birs* —3B **6**
Bramby Fold. *Oss* —4F **29**
Bramhope Rd. *Cleck* —4A **4**
Bramley Clo. *N Mill* —1H **63**
Bramston St. *Brigh* —5A **10**
Branch La. *Hud* —5D **20**
Branch Rd. *Bat* —1E **15**
Branch Rd. *Bkland* —4B **18**
Branch Rd. *Dew* —6E **15**
Branch St. *Hud* —5F **33**
Brandy Carr Rd. *K'gte* —4H **17**
Branstone Gro. *Oss* —5C **16**
Branwell Av. *Birs* —1A **6**
Brayside Av. *Hud* —6H **21**
Brearley Gdns. *Liv* —4E **13**
Brearley Pl. Bat —2E **15**
  (off Gt. Wood St.)
Brearley St. *Bat* —2D **14**
Brecon Av. *Hud* —1C **32**
Brendon Ct. *Mir* —6D **24**
Brendon Dri. *Hud* —1F **33**
Brentwood Clo. *Bat* —1G **15**
Bretfield Ct. *Dew* —3F **27**
Bretton St. *Dew* —4F **27**
Brewerton La. *Dew* —4B **14**
Brewery Dri. *Hud* —2G **45**
Brewery La. *Dew* —4E **27**
Brewery St. *Heck* —3H **13**
Brewery Wharf. *Mir* —4E **25**
Brian Av. *Hud* —5E **35**
Brian Royd La. *G'lnd* —1D **18**
Brian St. *Hud* —1D **32**
Briar Av. *Mel* —3C **52**
Briar Clo. *Ell* —3A **20**
Briar Clo. *Heck* —1H **13**
Briar Ct. *H'frth* —4B **62**
Briar Dri. *Dew* —4B **14**
Briarfield Rd. *H'frth* —1G **63**
Briar La. *Hud* —6D **20**

Briarlyn Av. *Hud* —6C **20**
Briarlyn Rd. *Hud* —6C **20**
Briarmains Rd. *Birs* —2B **6**
Brickbank. *Hud* —1F **47**
Brick Row. *Dew* —6B **14**
Brick St. *Cleck* —5A **4**
Brick Ter. *Brigh* —5B **10**
Brick & Tile Ter. *Brigh* —5A **10**
Brickyard. *Mir* —3D **24**
Bridge Clo. *Scis* —4C **60**
Bridge Croft. *Hud* —6D **32**
Bridge End. *Brigh* —5A **10**
Bridge La. *H'frth* —2E **63**
Bridge Rd. *Brigh* —4A **10**
Bridge Rd. *Hud* —3G **23**
Bridge St. *Bat* —1F **15**
Bridge St. *Ber B* —4H **45**
Bridge St. *Birs* —4A **6**
Bridge St. *Heck* —2G **13**
Bridge St. *Lock* —1H **45**
Bridge St. *Slai* —4D **42**
Bridle Av. *Oss* —6C **16**
Bridle La. *Oss* —6C **16**
Bridle Pl. *Oss* —6D **16**
Bridle St. *Bat* —1G **15**
Bridley Dri. *Slai* —4E **43**
Brier Hill View. *Bdly* —3D **22**
Brier La. *Brigh* —4F **9**
Briery Gro. *Mir* —6E **25**
Briestfield Rd. Grng M & Bstfld
     —5A **38**
Briggate. *Brigh* —4A **10**
  (in two parts)
Briggate. *Ell* —1B **20**
Briggate. *Hud* —3G **35**
Briggs La. *Wake* —2G **39**
Briggs Ter. *Hud* —4D **34**
Brighouse Rd. *Hud* —5D **20**
Brighouse Wood La. *Brigh*
     —3H **9**
Brighouse Wood Row. Brigh
     —3H **9**
  (off Brighouse Wood La.)
Brighton Clo. *Bat* —6A **6**
Brighton St. *Heck* —1H **13**
Bright St. *Dew* —5E **15**
Bright St. *Mir* —6D **12**
Briscoe La. *G'lnd* —1F **19**
Bristol St. *Hud* —3A **8**
Britannia Bldgs. *Morl* —2H **7**
Britannia Rd. *Gol & Hud* —1A **44**
Britannia Rd. *Morl* —2H **7**
Britannia Rd. *Slai* —4D **42**
Britannia Sq. *Morl* —2H **7**
Britannia Ter. *Cleck* —4B **4**
Britannia Trad. Est. *Milns*
     —6B **32**
Britton St. *Gom* —6D **4**
Broadacre Rd. *Oss* —3E **29**
Broadbent Croft. *Hon* —2D **54**
Broad Carr La. *Holy G* —4G **19**
Broad Carr La. *N Mill* —5C **64**
Broad Carr Ter. *Holy G* —3H **19**
Broadgate. *Holy G* —6D **19**
Broadgate. *Oss* —3E **29**
Broadgate Cres. *Hud* —6D **34**
Broadlands Rd. *Mel* —3D **52**
Broad La. *H'frth* —3B **62**
Broad La. *Hud* —4D **34**
Broadoaks Clo. *Dew* —1A **28**
Broadowler La. *Oss* —3E **29**
Broad Royd. *Slnd* —5C **18**
Broadstone Rd. *Cumb* —4G **65**
Broad St. *Dew* —4E **27**
Broad View. *Oss* —3F **29**

Broadway. *Hal* —1A **8**
Broadway. *Hud* —3B **34**
Broadway. *Wake* —3H **29**
Broad Way Ct. *Thorn* —1G **39**
Broadwell Rd. *Oss* —3F **29**
Brockholes La. *Broc* —4G **55**
Broken Cross. *Hud* —2E **47**
Bromley Av. *N Mill* —1H **63**
Bromley Rd. *Bat* —3G **15**
Bromley Rd. *Hud* —1H **33**
Bromley St. *Bat* —3F **15**
Bronte Clo. *Dew* —4B **14**
Bronte Clo. *Gom* —3F **5**
Bronte Clo. *Hud* —1F **45**
Bronte Gro. *Mir* —4G **25**
Bronte Rd. *Birs* —3A **6**
Bronte Way. *Mir* —4G **25**
Brook Clo. *Oss* —5F **29**
Brookdale Av. *Oss* —5C **16**
Brook Dri. *Holy G* —4G **19**
Brooke Fold. *Hon* —2D **54**
Brooke St. *Brigh* —5A **10**
Brooke St. *Cleck* —5C **4**
Brooke St. *Heck* —3H **13**
Brookfield. *Kbtn* —6B **48**
Brook Field. *Hud* —6D **24**
Brookfield Av. *Cleck* —3C **4**
Brookfield Ter. *Cleck* —3C **4**
Brookfield View. *Cleck* —3C **4**
Brookfoot La. *Hal & Brigh* —3F **9**
Brook Gdns. *Dew* —6D **14**
  (off Travis Lacey Ter.)
Brook Gdns. *Mel* —4D **52**
Brook Grain Hill. *Brigh* —6A **10**
Brooklands. *Hud* —3F **23**
Brooklands Av. *Holy G* —4F **19**
Brooklands Clo. *Holy G* —4F **19**
  (off Shaw La.)
Brooklands Ct. *Oss* —4G **29**
Brook La. *Gol* —6H **31**
Brook La. *Liv* —2A **12**
Brooklyn Av. *Hud* —4F **35**
Brooklyn Ct. *Cleck* —4B **4**
Brooklyn Dri. *Cleck* —4B **4**
Brooklyn Grange. *Cleck* —4C **4**
Brooklyn Rd. *Cleck* —4B **4**
Brooklyn Ter. *Brigh* —1G **9**
Brook Rd. *Dew* —1D **26**
Brook Row. *G'lnd* —4G **19**
Brookroyd Gdns. *Bat* —4B **6**
Brookroyd La. *Bat* —3B **6**
Brooksbank Gdns. *Ell* —2B **20**
Brook Side. *Slai* —2B **14**
Brook St. *Dew M* —5B **14**
Brook St. *Ell* —2C **20**
Brook St. *Hud* —3A **34**
  (in two parts)
Brook St. *Mold* —4D **34**
Brook St. *Oss* —3D **28**
Brook St. *Thor L* —6G **33**
Brooks Yd. *Bdly* —2G **23**
Brooks Yd. *Dew* —1D **26**
Brook's Yd. *Hud* —4A **34**
Brook Ter. *Slai* —2E **43**
Broombank. *Den D* —3F **67**
Broombank. *Hud* —6F **21**
Broom Clo. *Brigh* —1G **21**
Broomcroft Rd. *Oss* —4D **28**
Broomer St. *Dew* —2A **26**
Broomfield. *Ell* —2H **19**
Broomfield Clo. *Eml* —5E **51**
Broom Field La. *Eml* —4D **50**
Broomfield Rd. *Fix* —4A **22**
Broomfield Rd. *Mar* —4F **33**
Broomfield Ter. *Cleck* —6A **4**

Broomfield Ter. *Hud* —3F **33**
Broomhey Av. *Eml* —6F **51**
Broomhill Bottom. *Holy G*
  —1C **30**
Broomhill Clo. *H'frth* —5H **63**
Broom Hill Rd. *Slnd* —3B **30**
Broomhill Ter. *Bat* —3F **15**
Broomhouse Clo. *Den D* —3G **67**
Broomroyd. *Hud* —4B **32**
Broomsdale Rd. *Bat* —6G **7**
Broom St. *Cleck* —6A **4**
Broom Wlk. *Bat* —1G **15**
Broomy Lea La. *Nthng* —1D **62**
Brougham Rd. *Mars* —4F **41**
Broughton Rd. *Hud* —1D **44**
Brow Grains Rd. *Mel* —5A **52**
Brow La. *H'frth* —5C **62**
Brownhill Clo. *Bat* —3B **6**
Brownhill Garth. *Bat* —3B **6**
Brownhill Rd. *Bat* —3B **6**
Browning Av. *Hal* —3A **8**
Browning Rd. *Hud* —5D **22**
Brown Royd Av. *Hud* —3D **34**
Brownroyd Rd. *Hon* —2C **54**
Brown's Knoll Rd. *Hud* —3B **56**
Brown's Pl. *Bat* —2D **14**
Brown's St. *Bat* —2E **15**
Brown's Ter. *Bat* —2D **14**
  (off Brown's Pl.)
Brown St. *Mir* —3D **24**
Brunswick Dri. *Dew* —5C **14**
Brunswick St. *Bat* —1E **15**
Brunswick St. *Dew* —5C **14**
Brunswick St. *Heck* —3H **13**
Brunswick St. *Hud* —4A **34**
Bruntcliffe Rd. *Morl* —1F **7**
Bryan La. *Hud* —5E **21**
Bryan Rd. *Ell* —2H **19**
Bryan Rd. *Hud* —2F **33**
Bryan St. *Brigh* —5A **10**
Bryan Ter. *Hud* —4A **32**
Bryer St. *Dew* —6E **15**
Buckden Ct. *Hud* —3D **32**
  (off Chesil Bank)
Buckden Rd. *Hud* —2F **33**
Buckrose St. *Hud* —1A **34**
Bulay Rd. *Hud* —6H **33**
Bullace Trees La. *Liv* —3C **12**
Bullfields Clo. *Dew* —6G **27**
Bull Grn. Rd. *Hud* —4B **32**
Bungalows, The. *Clay W* —4C **60**
Bungalows, The. *Hal* —4A **8**
Bunkers Hill. *H'frth* —3E **63**
Bunkers La. *Bat* —2B **14**
Bunny Pk. *Lock* —1F **45**
Burbeary Rd. *Hud* —1G **45**
Burcote Dri. *Hud* —1F **31**
Burfitts Rd. *Hud* —3D **32**
Burgh Mill La. *Dew* —1B **26**
Burhouse Ho. *Hon* —2D **54**
  (off Cuckoo La.)
Burking Rd. *Dew* —6D **14**
Burley St. *Ell* —2B **20**
Burley Wlk. *Bat* —1D **14**
Burniston Dri. *Hud* —2C **32**
Burnlee Rd. *H'frth* —4C **62**
Burnleyville. *Gom* —3F **5**
Burn Rd. *Hud* —6E **21**
Burnsall Av. *Bat* —1C **14**
Burnsall Ct. *Hud* —4D **32**
  (off Chesil Bank)
Burnsall Rd. *Bat* —1C **14**
Burnsall Rd. *Brigh* —6G **9**
Burnsall Rd. *Liv* —2D **12**
Burns Ct. *Bat* —2H **5**
Burnside Clo. *Bat* —3C **6**

Burnside Dri. *H'frth* —4C **62**
Burnt Plats La. *Slai* —1A **42**
Burnup Gro. *Cleck* —5A **4**
Burrows, The. *Bat* —5B **6**
Burrwood Ter. *Holy G* —3F **19**
Burrwood Way. *Holy G* —3F **19**
Burton Acres Dri. *Kbtn* —5C **48**
Burton Acres La. *Kbtn* —5C **48**
Burton Acres M. *Kbtn* —5C **48**
Burton Acres Way. *Kbtn* —5C **48**
Burton Royd La. *Kbtn* —5E **49**
  (in two parts)
Burwood Rd. *Hud* —2D **32**
Busker La. *Skelm* —5A **60**
Bute Av. *Brigh* —1A **10**
Butterley La. *N Mill* —4A **64**
Buttermere Dri. *Hud* —4D **34**
Butternab Ridge. *Hud* —4F **45**
Butternab Rd. *Hud* —3E **45**
Buttershaw La. *Liv* —1H **11**
Butterwood Clo. *Hud* —4F **45**
Butterworth Hill. *Hud* —3E **31**
Butt La. *H'frth* —6A **64**
Butts Clo. *Far T* —6E **47**
Butts Hill. *Gom* —4F **5**
Butts Rd. *Far T* —6E **47**
Butts Way. *Far T* —6E **47**
Butts Yd. *Cleck* —5B **4**
Buxton Ho. *Hud* —5A **34**
  (off New St.)
Buxton La. *Holy G* —4D **18**
Byram Arc. *Hud* —4A **34**
  (off Station St.)
Byram St. *Hud* —4B **34**
Byron Gro. *Dew* —4A **14**
Bywell Clo. *Dew* —6A **16**
Bywell Rd. *Dew* —5H **15**

Cabin La. *N Mill* —3H **63**
Cable St. *Hud* —6A **34**
Cadogan Av. *Hud* —2D **32**
Caenarvon Clo. *Bat* —3C **6**
Cain La. *Hal* —2C **8**
Caister Clo. *Bat* —2C **6**
Calder Bank Rd. *Dew* —2D **26**
Caldercliffe Rd. *Hud* —3H **45**
Calder Clo. *G'land* —1H **19**
  (off Calder St.)
Calder Clo. *Oss* —3C **28**
Caldercroft. *Ell* —2C **20**
Calderdale Way. *G'lnd & Ell*
  —1A **20**
Calder Dri. *Hud* —4H **45**
Calder Rd. *Dew* —3B **26**
Calder Rd. *Mir* —5E **25**
Calder St. *Brigh* —5C **10**
Calder St. *G'lnd* —1H **19**
Calder St. *Hal* —1A **8**
Calder View. *Oss* —3B **28**
Calder View. *Ras* —5H **9**
Caledonia Ct. *K'gte* —4H **17**
Caledonian Rd. *Dew* —2E **27**
Caledonia Rd. *Bat* —1F **15**
Calf Hill Rd. *Thon* —5F **55**
California La. *Gom* —5F **5**
Calmlands Rd. *Mel* —5D **52**
Calton St. *Hud* —2B **34**
Calverts Wlk. *Oss* —4F **29**
Camborne Dri. *Hud* —5H **21**
Camborne Rd. *Hud* —5H **21**
Cambridge Pl. *Sid* —3A **8**
Cambridge Rd. *Birs* —3H **5**
Cambridge Rd. *Hud* —3A **34**
Cambridge St. *Bat* —1E **15**
Cambridge St. *Heck* —3A **14**

Cambridge Ter. *Sid* —3A **8**
  (off Cambridge Pl.)
Camilla Ct. *Dew* —1H **27**
Cam La. *Brigh* —2D **10**
Camm La. *Mir* —2F **25**
Camm St. *Brigh* —3B **10**
Campinot Vale. *Slai* —3D **42**
Camroyd St. *Dew* —5F **15**
Canal St. *Brigh* —4B **10**
Canal St. *Hal* —1A **8**
Canal St. *Hud* —2C **34**
Canary St. *Cleck* —4B **4**
Canby Gro. *Hud* —5H **35**
Canker La. *Hud* —1C **34**
Cannon Gro. *Heck* —1A **14**
Cannon Hall Clo. *Brigh* —3D **10**
Cannon Hall Dri. *Brigh* —4D **10**
Cannon Way. *Dew* —1E **27**
Canterbury Rd. *Dew* —5H **15**
Capas Heights Way. *Heck*
  —3A **14**
Capel St. *Brigh* —5A **10**
Cardigan Av. *Morl* —2H **7**
Cardigan Clo. *Bat* —1G **15**
Cardigan La. *Oss* —5G **29**
Cardinal Clo. *Mel* —4E **53**
Cardwell Ter. *Dew* —2E **27**
Carforth St. *Asp* —5C **34**
Carlile St. *Mel* —4E **53**
Carlinghow Ct. *Dew* —3B **14**
  (off Occupation La.)
Carlinghow Hill. *Bat* —6D **6**
Carlinghow La. *Bat* —5A **6**
Carlisle Clo. *Dew* —4E **15**
Carlton Av. *Bat* —3D **14**
Carlton Clo. *Cleck* —5B **4**
Carlton Ct. *Cleck* —4B **4**
Carlton Ct. *Oss* —2D **28**
Carlton Gro. *Ell* —1D **20**
Carlton Rd. *Dew* —5E **15**
Carlton Rd. *Heck* —6G **5**
Carlton Rd. *Liv* —3E **13**
Carlton Ter. *Dew* —2F **27**
Carlton Ter. *Stainc* —3C **14**
Carlton Way. *Cleck* —5B **4**
Carmine Clo. *Hud* —4E **35**
Carolan Ct. *Gol* —6H **31**
Caroline St. *Cleck* —4B **4**
  (off Carver St.)
Carr Ct. *Bat* —4E **15**
  (off Trinity St.)
Carr Grn. Av. *Brigh* —2H **21**
Carr Grn. Clo. *Brigh* —2H **21**
Carr Grn. Dri. *Brigh* —2H **21**
Carr Grn. La. *Brigh* —1H **21**
Carr Grn. La. *Hud* —3D **34**
Carr Hall La. *Holy G* —5E **19**
Carr Hill Rd. *Up Cum* —2A **66**
Carr Ho. Rd. *H'frth* —3E **63**
Carriage Dri. *Ber B* —4G **45**
Carriage Dri., The. *Holy G*
  —4E **19**
Carriage La. *G'lnd* —1G **19**
Carr La. *Bstfld* —2D **38**
Carr La. *Heck* —6H **13**
Carr La. *H'frth* —4F **63**
  (Cinderhills Rd.)
Carr La. *H'frth* —4A **62**
  (Cold Well La.)
Carr La. *Shep* —2H **65**
Carr La. *Slai* —3E **43**
Carr Mt. *Up Cum* —2A **66**
Carr Pit Rd. *Hud* —5C **34**
Carrs Clo. *Dew* —3B **14**
Carr Side Cres. *Bat* —3E **15**
Carrs Rd. *Mars* —5F **41**

Carrs Side St. No. 1. *Mars*
—4G **41**
Carrs Side St. No. 2. *Mars*
—4G **41**
Carrs St. *Mars* —4G **41**
Carr St. *Birs* —3A **6**
Carr St. *Brigh* —2A **10**
Carr St. *Cleck* —5B **4**
Carr St. *Dew* —4E **15**
Carr St. *Heck* —2G **13**
Carr St. *Hud* —3E **33**
Carr St. *Liv* —1E **13**
Carr Top Clo. *Bat* —4D **14**
Carr Top La. *Gol* —6H **31**
Carr View Rd. *N Mill* —6B **64**
Cartworth Bank Rd. *H'frth*
—6D **62**
Cartworth La. *H'frth* —5D **62**
Cartworth Moor Rd. *H'frth*
—6C **62**
Cartworth Rd. *H'frth* —4E **63**
Cartwright Gdns. *Hud* —1E **45**
Cartwright St. *Rawf* —6C **4**
Carver St. *Cleck* —4B **4**
Castle Av. *Brigh* —6H **9**
Castle Av. *Hud* —3A **46**
Castle Clo. *Birs* —3C **6**
Castle Cres. *Dew* —1E **39**
Castlefields Cres. *Brigh* —6H **9**
Castlefields Dri. *Brigh* —6H **9**
Castlefields Rd. *Brigh* —6H **9**
Castlegate. *Hud* —4A **34**
Castlegate Ho. *Ell* —1B **20**
(off Crown St.)
Castlegate Loop. *Hud* —3A **34**
Castlegate Slip. *Hud* —3A **34**
Castle Hill. *Brigh* —6H **9**
Castle Hill. *Wake* —4H **29**
Castle Hill Rd. *Gom* —6F **5**
Castle Hill Side. *Hud* —4C **46**
Castle Hill View. *Heck* —3B **14**
Castle La. *Slai* —2C **42**
Castle Mt. *Dew* —6F **27**
Castle Pl. *Brigh* —6A **10**
(off Thornhill Rd.)
Castle Ter. *Brigh* —6H **9**
(off Castle Av.)
Castle View. *Hon* —3D **54**
Castle View. *Mir* —3E **25**
Castlfields Dri. *Brigh* —6H **9**
Catherine Clo. *Hud* —6C **20**
Catherine Cres. *Ell* —2B **20**
Catherine Rd. *Hud* —4B **22**
Catherine Slack. *Brigh* —1H **9**
Catherine St. *Brigh* —3A **10**
Catherine St. *Ell* —2B **20**
Cat La. *G'lnd* —1C **18**
Caulms Wood Rd. *Dew & Earl*
—5F **15**
Causeway. *Outl* —6D **30**
Causeway. *Slai* —1A **42**
Causeway Cres. *Lint* —3H **43**
Causeway Side. *Lint* —3H **43**
Cavewell Clo. *Oss* —5F **29**
Cavewell Gdns. *Oss* —5F **29**
Cawcliffe Dri. *Brigh* —1A **10**
Cawcliffe Rd. *Brigh* —2A **10**
Cawley Garth. *Heck* —3A **14**
Cawley La. *Heck* —2A **14**
Cawthorne Av. *Hud* —6A **22**
Cecil St. *Hud* —4A **34**
Cedar Av. *Hud* —3H **33**
Cedar Av. *Oss* —4E **29**
Cedar Clo. *Gol* —5B **32**
(off Laburnum Gro.)
Cedar Ct. *Hud* —3G **33**

Cedar Dri. *Dew* —2B **28**
Cedar Gro. *Bat* —4E **15**
Cedar Gro. *G'lnd* —1F **19**
Cedar Mt. *Hud* —3H **33**
Cedar Rd. *Dew* —2A **28**
Cedar St. *Hud* —3G **33**
Cedar Way. *Gom* —4E **5**
Celandine Av. *Hud* —2A **32**
Celandine Dri. *Hud* —2A **32**
Cemetery Rd. *Bat* —1D **14**
Cemetery Rd. *Dew* —1C **26**
Cemetery Rd. *Heck* —2H **13**
Cemetery Rd. *H'frth* —5D **62**
Cemetery Rd. *Hud* —3H **33**
Centenary Sq. *Dew* —4D **26**
Centenary Way. *Bat* —6D **6**
Central Arc. *Cleck* —5C **4**
(off Cheapside)
Central Av. *Hud* —5B **22**
Central Av. *Liv* —1H **11**
Central Clo. *Hud* —5B **22**
Central Dri. *Hud* —5E **45**
Central Pde. *Cleck* —5C **4**
(off Market St.)
Central St. *Dew* —6D **14**
Centre 27 Bus. Pk. *Birs* —1D **6**
Centre St. *Heck* —2G **13**
Centuria Wlk. *Hud* —2A **32**
Century Rd. *Ell* —1B **20**
Chadwick La. *Mir* —5D **24**
Chaffinch Wlk. *Neth* —5G **45**
Chain Rd. *Slai* —6C **42**
Chalcroft Clo. *Heck* —1A **14**
Challenge Way. *Bat* —2H **15**
Chalner Av. *Morl* —2H **7**
Chalner Clo. *Morl* —2H **7**
Chalwood. *Hud* —4E **23**
Chancery La. *Hud* —4A **34**
Chancery La. *Oss* —6B **16**
Chancery Rd. *Oss* —6B **16**
Chandler Clo. *Birs* —3A **6**
Chandler La. *Hon* —2B **54**
Change La. *Hal* —4A **8**
Chantry Ho. *Hud* —4B **34**
(off Oldgate)
Chapel Bank. *N Mill* —5A **64**
Chapel Clo. *Ber B* —4H **45**
Chapel Clo. *Dew* —6F **27**
Chapel Clo. *Holy G* —4F **19**
Chapel Clo. *Skelm* —4G **59**
Chapel Croft. *Brigh* —1H **21**
Chapel Fold. *Bat* —3C **14**
Chapel Ga. *Sch* —5H **63**
Chapel Hill. *Clay W* —4C **60**
Chapel Hill. *Hud* —6A **34**
Chapel Hill. *Lint* —4H **43**
Chapel Hill. *Mir* —6D **24**
Chapel Hill La. *Hud* —4A **30**
Chapel Hill La. *Wake* —5H **39**
Chapel La. *Birs* —3A **6**
Chapel La. *Dew* —6F **27**
Chapel La. *Eml* —5D **50**
Chapel La. *Gol* —6H **31**
Chapel La. *Heck* —1A **14**
Chapel La. *Mold* —5D **34**
Chapel La. *S'wram* —2C **8**
Chapel St. *Brigh* —1G **9**
Chapel St. *Cleck* —4C **4**
Chapel St. *Dew* —2E **27**
Chapel St. *H'town* —1A **12**
Chapel St. *Holy G* —4F **19**
Chapel St. *Hud* —5A **34**
(Huddersfield)
Chapel St. *Hud* —5D **34**
(Moldgreen)

Chapel St. *Liv* —2G **13**
Chapel St. *Mir* —3E **25**
Chapel St. *Morl* —1G **7**
Chapel St. *Neth* —5E **45**
Chapel St. *Oss* —4G **29**
Chapel St. *Sca H* —5F **31**
Chapel St. *Tay H* —2G **45**
Chapel Ter. *Bklnd* —1A **18**
Chapel Ter. *Hon* —2D **54**
Chapel Ter. *Hud* —6F **33**
Charles Av. *Hal* —2C **8**
Charles Av. *Hud* —2C **32**
Charles Jones Ct. *Bat* —1D **14**
Charles St. *Bat* —2E **15**
Charles St. *Brigh* —3A **10**
Charles St. *Dew* —6B **14**
Charles St. *Eastb* —6G **15**
Charles St. *Ell* —2B **20**
Charles St. *Gom* —4F **5**
Charles St. *Hud* —6F **33**
(in two parts)
Charles St. *Oss* —5F **29**
Charles St. *Raven* —3A **26**
Charlesworth Bldgs. *Horb*
—6G **29**
Charlesworth Ct. *Dew* —6F **27**
Charlesworth Sq. *Gom* —4E **5**
Charlesworth St. *Dew* —4E **27**
Charlotte Clo. *Birs* —1B **6**
Charlotte Gro. *Oss* —4F **29**
Charnwood Bank. *Bat* —2A **14**
Chaster St. *Bat* —6C **6**
(in two parts)
Chatsworth Clo. *Hud* —6D **34**
Chatsworth Ct. *Dew* —1H **27**
Chatsworth Ter. *Dew* —1H **27**
Chaucer Clo. *Hon* —3D **54**
Cheapside. *Bat* —1F **15**
Cheapside. *Cleck* —5C **4**
Cheese Ga. Nab Side. *H'frth*
—6C **64**
Chellow Way. *Dew* —1E **27**
Cherry La. *Clay W* —4D **60**
Cherry Nook Rd. *Hud* —5E **23**
Cherry Tree Cen. *Hud* —4A **34**
(off Half Moon St.)
Cherry Tree Clo. *Gol* —5A **32**
Cherry Tree Dri. *G'lnd* —1F **19**
Cherry Tree Wlk. *H'frth* —4H **63**
Chesil Bank. *Hud* —3D **32**
Chesilton Av. *Hud* —3D **32**
Chessington Dri. *Floc* —1F **51**
Chesterton Ct. *Horb* —6H **29**
Chesterton Dri. *Hon* —3D **54**
Chestnut Av. *Bat* —2C **14**
Chestnut Clo. *G'lnd* —1F **19**
Chestnut Clo. *New* —2A **46**
Chestnut Garth. *Quar* —3D **32**
Chestnut Meadows. *Mir* —1D **24**
(Redlands Clo.)
Chestnut Meadows. *Mir* —1C **24**
(Slipper La.)
Chestnut St. *Hud* —5C **22**
Chestnut Ter. *Dew* —5E **27**
Chevinedge Cres. *Hal* —5A **8**
Chevins Clo. *Bat* —4B **6**
Cheviot Av. *Mel* —5F **53**
Cheviot Way. *Mir* —6D **24**
Chickenley La. *Dew* —1A **28**
Chidswell Gdns. *Dew* —3B **16**
Chidswell La. *Dew & Oss*
—3B **16**
Child La. *Liv* —4D **12**
Chiltern Av. *Hud* —1C **32**
Chiltern Dri. *Mir* —6D **24**
Chiltern Rd. *Dew* —5H **15**

Chiltern Way. *Liv* —1B **12**
Chimney La. *Lep* —6B **36**
Chinewood Av. *Bat* —6D **6**
Choppards Bank Rd. *H'frth*
—6E **63**
Choppards La. *H'frth* —6E **63**
Church Av. *Hud* —6G **33**
Church Av. *Lint* —2A **44**
Churchbank Way. *Dew* —4E **27**
Church Clo. *Shep* —6G **57**
Church Ct. *Oss* —1D **28**
Churchfield Clo. *Liv* —2E **13**
Churchfields. *Hud* —5F **33**
Churchfields Rd. *Brigh* —3A **10**
Churchfield St. *Bat* —1E **15**
Churchfield Ter. *Liv* —2E **13**
Church Grange. *Cleck* —5C **4**
(off Church St.)
Church Grn. *Kbtn* —1H **57**
Church Hill. *Eastb* —5F **15**
Churchill Cres. *Oss* —3E **29**
Churchill Gro. *Heck* —3A **14**
Church La. *Brigh* —3A **10**
Church La. *Clay W* —4D **60**
Church La. *Dew M* —6B **14**
Church La. *Ell* —1F **21**
Church La. *Gom & Birs* —4G **5**
Church La. *Heck* —3H **13**
Church La. *H Hoy* —5G **61**
Church La. *H'town* —4H **11**
Church La. *Khtn* —3H **35**
Church La. *Lint* —3A **44**
Church La. *Liv* —1E **13**
Church La. *Mars* —4F **41**
Church La. *Mir* —3G **25**
Church La. *Mold* —4D **34**
Church La. *New* —2A **46**
Church La. *Shep* —6G **57**
Church La. *S Cro* —6D **44**
Church La. *S'wram* —2D **8**
Church La. *Slnd* —4E **19**
Church La. *Thorn* —6G **27**
Church Meadows. *Birs* —3H **5**
Church Rd. *Bat* —4B **6**
Church Rd. *Liv* —4B **12**
Church St. *Birs* —3A **6**
Church St. *Brigh* —6H **9**
Church St. *Cleck* —5C **4**
Church St. *Cros M* —6G **33**
Church St. *Dew* —6F **15**
Church St. *Ell* —1B **20**
Church St. *Eml* —5E **51**
Church St. *Gol* —6H **31**
Church St. *G'lnd* —1H **19**
Church St. *Heck* —3H **13**
Church St. *H'town* —1A **12**
Church St. *Hon* —1D **54**
Church St. *Hud* —4A **34**
Church St. *Liv* —1E **13**
Church St. *Lgwd* —4C **32**
Church St. *Mold* —5D **34**
Church St. *N Mill* —2B **64**
Church St. *Oss* —1D **28**
Church St. *Pad* —5F **33**
Church St. *Raven* —3A **26**
Church St. *Slai* —4D **42**
Church Ter. *H'frth* —3E **63**
Church Ter. *Scis* —5B **60**
Church View. *Cleck* —4A **4**
Church View. *H'frth* —6A **62**
Church View Ho. *Hud* —5G **33**
(off Church St.)
Church Wlk. *Bat* —3C **14**
Church Wlk. *Dew* —6G **27**
Churchwood Clo. *Slai* —3D **42**
Churwell Av. *Dew* —3B **14**

Cinder Hill Ct. *Kbtn* —6A **48**
Cinderhills La. *Hal* —3A **8**
Cinderhills Rd. *H'frth* —4F **63**
Clara St. *Brigh* —5A **10**
Clara St. *Cow* —1C **44**
Clara St. *Hill* —2A **34**
Clare Hill. *Hud* —3A **34**
Claremont. *Heck* —2H **13**
Claremont Rd. *Dew* —5D **14**
Claremont St. *Cleck* —4B **4**
Claremont St. *Hud* —3A **34**
Clarence St. *Bat* —1F **15**
Clarence St. *Cleck* —5B **4**
Clarence Ter. *Dew* —2F **27**
Clarendon Cotts. Oss —5E **29**
(off Horbury Rd.)
Clare Rd. *Cleck* —5B **4**
Clarke La. *Mel* —4E **53**
Clarke Rd. *Wake* —1E **17**
Clarke St. *Dew* —5C **14**
Clarkson Av. *Heck* —2A **14**
Clarkson Clo. *Heck* —2A **14**
Clarkson St. *Dew* —2H **25**
Clayborn View. *Cleck* —6C **4**
Clay Butts. *Hud* —6G **21**
Clay Ho. La. *G'lnd* —1G **19**
Clay La. *Slai* —3E **43**
Clay Royd La. *S'wram* —1E **9**
Clayton Fields. *Hud* —2H **33**
Claytons Cotts. *Horb* —6G **29**
Clay Well. *Gol* —6H **31**
Clegg La. *G'lnd* —1D **18**
Clement St. *Bir* —2H **33**
Clement St. *Cros M* —6F **33**
Clement Ter. *Dew* —2E **27**
Clerk Grn. St. *Bat* —2D **14**
Cleveland Av. *Hal* —2A **8**
Cleveland Av. *Mel* —5F **53**
Cleveland Rd. *Hud* —3F **33**
Cleveland Way. *Shel* —3H **57**
Cliff Clo. *Quar* —4D **32**
Cliff Ct. *Liv* —3E **13**
Cliffe Ash. *Gol* —6H **31**
Cliffe Crest. *Horb* —6H **29**
Cliffe End Rd. *Hud* —4D **32**
Cliffe La. *Cleck* —3C **4**
Cliffe La. *Hud* —6E **47**
Cliffe Mt. *Gom* —3E **5**
Cliffe Pk. *Shep* —6G **57**
Cliffe Rd. *Brigh* —4A **10**
Cliffe Rd. *Shep* —6G **57**
Cliffe St. *Bat* —2B **14**
Cliffe St. *Clay W* —4D **60**
Cliffe St. *Dew* —5D **14**
Cliffe View. *Clay W* —4D **60**
Cliffe View. *Morl* —1F **7**
Cliffewood Rise. *Clay W* —4C **60**
Cliff Ho. La. *H'frth* —2F **63**
Cliff La. *H'frth* —3E **63**
Clifford Ct. Oss —2C **28**
(off Pildacre La.)
Cliff Rd. *H'frth* —3F **63**
Cliff, The. *Clay W* —4D **60**
Clifton Av. *H'frth* —2F **63**
Clifton Av. *Horb* —6G **29**
Clifton Clo. *Horb* —6G **29**
Clifton Comn. *Brigh* —4C **10**
Clifton Cres. *Horb* —6G **29**
Clifton Dri. *Horb* —6G **29**
Clifton La. *Mel* —4E **53**
Clifton Rd. *Brigh* —4B **10**
Clifton Rd. *Horb* —6G **29**
Clifton Rd. *Hud* —3G **33**
Clifton Side. *Hud* —2F **23**
Clifton Ter. *Bat* —1F **15**
Clifton Ter. *Oss* —6C **16**

Clifton View. *Clay W* —4D **60**
Clog Sole Rd. *Brigh* —2H **9**
Close Hill La. *Hud* —2H **45**
Close Lea. *Brigh* —5H **9**
Close Lea Av. *Brigh* —5H **9**
Close Lea Dri. *Brigh* —6H **9**
Close Lea Way. *Brigh* —5H **9**
Closes Rd. *Brigh* —5H **9**
Cloth Hall St. *Dew* —6F **15**
Cloth Hall St. *Hud* —4A **34**
Clough Dri. *Birs* —2C **6**
Clough Dri. *Fen B* —2B **48**
Clough Dri. *Lint* —4H **43**
Clough Ga. *Grng M* —5H **37**
Clough Hall La. *Hud* —2D **46**
(in two parts)
Clough Ho. La. *Bklnd* —6A **18**
Clough Ho. La. *Den D* —3H **67**
Clough Ho. La. *Slai* —3B **42**
Clough La. *Brigh* —1D **10**
(Jay Ho. La.)
Clough La. *Brigh & Fix* —2G **21**
(New Hey Rd.)
Clough La. *Liv* —3B **12**
Clough La. *Mir* —3G **37**
Clough La. *Pad* —5E **33**
Clough Lee. *Mars* —4F **41**
Clough Pk. *Fen B* —2B **48**
Clough Rd. *Floc* —2F **51**
Clough Rd. *Hud* —6A **22**
Clough Rd. *Slai* —6E **31**
Clough, The. *Fen B* —1B **48**
Clough, The. *Mir* —2C **24**
Clough Way. *Fen B* —2B **48**
Clover Hill. *Liv* —1B **12**
Club Houses. *Arm B* —4G **45**
Clumber Dri. *Gom* —5F **5**
Clutton St. *Bat* —1G **15**
Coach Ga. La. *Up Den* —6H **67**
Coach Ho. Dri. *Hud* —5F **35**
Coach La. *Cleck* —4C **4**
Coach Rd. *Brigh* —1H **9**
Coach Rd. *Hud* —6H **21**
Coach Rd. *Mel* —5F **53**
Coal Pit La. *Bat* —1B **14**
Coalpit La. *Brigh* —5D **10**
Coalpit La. *Hal* —2A **8**
Coal Pit La. *Hud* —4D **36**
(Houses Hill)
Coal Pit La. *Hud* —1H **45**
(Lockwood)
Coal Pit La. *N Mill* —2A **64**
Coal Pit La. *Shel* —5D **58**
Coalpit La. *Up Den* —5F **67**
Coat Clo. *Shel* —3G **57**
Coates Clo. *Dew* —5G **15**
Cobcroft Rd. *Hud* —1A **34**
Cobden Clo. *Bat* —1E **15**
Cobden Ter. Ell —3B **20**
(off Savile Rd.)
Cockermouth La. *Floc M* —2H **49**
Cockley Hill La. *Hud* —1A **36**
Cockley M. *Khtn* —1A **36**
Colbeck Av. Bat —1C **14**
(off Nelson St.)
Colbeck Row. *Birs* —3A **6**
Colbeck Ter. Bat —1C **14**
(off Nelson St.)
Colders Dri. *Mel* —5D **52**
Colders Grn. *Mel* —4D **52**
Colders La. *Mel* —5D **52**
Cold Hill La. *Ber B* —4A **46**
Cold Hill La. *N Mill* —1A **64**
Cold Royd La. *Hud* —3G **35**
Cold Well La. *Holmb* —4A **62**

Coldwells Hill. *Holy G* —5C **18**
Coldwell St. *Lint* —3H **43**
College St. *Birs* —3A **6**
College St. *Hud* —6F **33**
College St. E. *Hud* —6F **33**
Colliers Way. *Clay W* —2D **60**
Collin Moor La. *G'lnd* —1G **19**
Collinson St. *Cleck* —4B **4**
Colne Hurst. *Hud* —4E **23**
Colne Rd. *Hud* —6A **34**
Colne St. *Asp* —5C **34**
Colne St. *Pad* —5G **33**
Colne Vale Rd. *Hud* —6C **32**
Colne Valley Bus. Pk. *Lint*
—3H **43**
Colwyn St. *Hud* —3F **33**
Combs Rd. *Dew* —6F **27**
Combs, The. *Dew* —5G **27**
Commercial Rd. *Dew* —5E **15**
Commercial Rd. *Skelm* —4G **59**
Commercial St. *Bat* —1E **15**
Commercial St. *Brigh* —4A **10**
Commercial St. *Cleck* —5C **4**
Commercial St. *Earl* —1H **27**
Commercial St. *Heck* —2A **14**
Commercial St. *Hud* —6B **34**
Commercial St. *Raven* —2B **26**
Commercial St. *Slai* —4A **42**
Comn. End La. *Fen B* —1B **48**
Common La. *Den D* —2H **67**
Common La. *Eml* —5A **50**
Common La. *Floc* —3C **50**
Common La. *Hal* —1B **8**
Common Rd. *Bat* —2B **14**
Common Rd. *Ell* —2E **21**
Common Rd. *Hud* —2A **34**
Commonside. *Bat* —4F **15**
Commonside. *Liv* —4C **12**
Common Ter. *Brigh* —5A **10**
Common, The. *Dew* —5G **27**
Concord St. *Hon* —2D **54**
Coney Wlk. *Dew* —6B **14**
Coniston Av. *Hud* —3D **34**
Coniston Clo. *Ell* —1D **20**
Coniston Ho. Ell —1B **20**
(off Crown St.)
Coniston Dri. *Dew* —4H **15**
Coniston Rd. *Mel* —5E **53**
Connaught Fold. *Hud* —3E **23**
Conway Cres. *Bat* —4E **15**
Conway Cres. *Mel* —5D **52**
Cooke Cres. *Gom* —4E **5**
Cook La. *Heck* —2G **13**
Cookson St. *Brigh* —3H **9**
Coombe Rd. *Hud* —5B **32**
Co-operative St. *Dew* —6B **16**
Co-operative St. *Mir* —5E **25**
Co-operative Ter. *H'frth* —1G **63**
Co-operative Ter. *Holy G* —5D **18**
Cooper Bri. Rd. *Mir* —2H **23**
Cooper La. *H'frth* —3E **63**
Co-op La. *Holmb* —5B **62**
Cop Hill La. *Slai* —4A **42**
Cop Hill Side. *Slai* —4A **42**
Copley Av. *Mel* —4D **52**
Copley Bank Rd. *Gol* —1G **43**
Copley Hill. *Birs* —3B **6**
Copley La. *Shel* —6B **58**
Copley St. *Bat* —5C **6**
Copperas Row. *G'lnd* —1C **18**
Coppice Dri. *Neth* —6E **45**
Coppice, The. *Hud* —4B **22**
Coppice, The. *Mir* —6D **12**
Coppin Hall Gro. *Mir* —2B **24**
Coppin Hall La. *Mir* —1B **24**
Copthorne Gdns. *Hud* —3F **23**

Corby St. *Hud* —1A **34**
Corfe Clo. *Bat* —2D **6**
Corn Bank. *Neth* —6E **45**
Cornfield. *Dew* —5B **14**
Cornfield Av. *Hud* —3C **32**
Cornmill Av. *Liv* —3G **13**
Cornmill Cres. *Liv* —3F **13**
Cornmill Dri. *Liv* —3F **13**
Cornmill La. *Liv* —3F **13**
Cornrace View. *Hud* —6B **34**
(in two parts)
Corn Royd. *N Mill* —3H **63**
Cornwall Ho. Ell —2B **20**
(off Crown St.)
Coronation St. *Ell* —2B **20**
Coronation St. *G'lnd* —1G **19**
Coronation Ter. *Birs* —3B **6**
Corporation St. *Dew* —6F **15**
Corporation St. *Hud* —6A **34**
Cote La. *Brigh* —3G **21**
Cote Wall M. *Mir* —5H **25**
Cotswold Dri. *Liv* —1B **12**
Cotswold M. *Kbtn* —5D **48**
Cottage, The. *Shep* —3E **65**
Couford Gro. *Hud* —4F **23**
Coule Royd. *Hud* —6E **35**
County Clo. *Bat* —6E **7**
Court No.6. *Bat* —2E **15**
Court, The. *Liv* —2C **12**
Courtyard, The. *Birs* —2B **6**
Courtyard, The. *Cros M* —6F **33**
Covert, The. *Bat* —5B **6**
Covey Clough Ct. *Mir* —1D **36**
Cowcliffe Hill Rd. *Hud* —4H **21**
Cowdry Clo. *Dew* —6G **27**
Cow Ga. *Lgwd* —4B **32**
Cow Heys. *Hud* —3E **35**
Cow La. *Hal* —2F **9**
Cowlersey La. *Lint & Hud*
—3A **44**
Cowper St. *Dew* —2E **27**
Cowrakes Clo. *Hud* —1C **32**
Cowrakes Rd. *Hud* —1B **32**
Cowslip St. *Hud* —5F **33**
Crabby La. *Hud* —1G **35**
Crabtree Av. *Heck* —1A **14**
Crackenedge La. *Dew* —4F **15**
(in two parts)
Crackenedge Ter. *Dew* —5F **15**
Craig Clo. *Bat* —6E **7**
Craig-Y-Don. *Dew* —1H **27**
Crangle Fields. *Stkmr* —6D **56**
(Far Well La.)
Crangle Fields. *Stkmr* —4E **57**
(Stocks Moor Rd.)
Cranmer Gdns. *Mel* —4E **53**
Cranwood Dri. *Hud* —4G **35**
Craven Clo. *Gom* —4G **5**
Cravendale Rd. *Dew* —2H **25**
Craven Dri. *Gom* —4G **5**
Craven La. *Gom* —4G **5**
Craven Rd. *Dew* —2C **26**
Craven St. *Dew* —2H **25**
Craven St. *Hud* —6C **32**
Crawshaw La. *Grng M & Eml*
—2B **50**
Crawshaw St. *Dew* —2B **26**
Crawthorne Cres. *Hud* —4E **23**
Cray La. *Holy G* —6B **18**
Crescent Av. *Dew* —3H **25**
Crescent Av. *Hud* —5F **45**
Crescent Rd. *Bir* —1B **33**
Crescent Rd. *Neth* —5F **45**
Crescent Royd. *Hud* —5G **35**
Crescent, The. Brigh —3B **10**
(off Bonegate Rd.)

Crescent, The. *Dew* —3H **25**
Crescent, The. *Ell* —3B **20**
(off Charles St.)
Crescent, The. *Holy G* —4E **19**
Crescent, The. *Kbtn* —5E **49**
Crescent, The. *Liv* —1B **12**
Crescent, The. *N Mill* —2A **64**
Crescent Wlk. *Dew* —3H **25**
Cressfield Rd. *Hud* —2E **33**
Cresswell La. *Dew* —3B **14**
Crest Av. *Hud* —5E **35**
Crestfield Av. *Ell* —2A **20**
Crestfield Cres. *Ell* —3A **20**
Crestfield Dri. *Ell* —3A **20**
Crestfield Rd. *Ell* —3A **20**
Crest Hill Rd. *Hud* —5C **22**
Crest Pl. *Brigh* —1G **9**
(off Halifax Rd.)
Crest Rd. *Hud* —5C **20**
Crest, The. *Hud* —2E **23**
Crest View. *Brigh* —1G **9**
Crimble Bank. *Slai* —3D **42**
Crimea La. *Slai* —1B **42**
Crodingley. *H'frth* —6F **55**
Crodingley Farm Ct. *H'frth*
—6E **55**
Croft Cottage La. *Hud* —2B **34**
Croft Ct. *Hon* —3D **54**
Croft Dri. *Hon* —2C **54**
Croft Gdns. *Hud* —1G **33**
Croft Head. *Skelm* —4G **59**
Croft Ho. *Ell* —1B **20**
(off Southgate)
Croft Ho. *H'frth* —6E **55**
Croft Ho. La. *Hud* —3G **33**
Croft Ho. Rd. *Hud* —5B **30**
Croftlands. *Bat & Dew* —3H **15**
Croftlands. *Hud* —2A **46**
Crofton Clo. *Lint* —4H **43**
Croft Pl. *Brigh* —5B **10**
Crofts, The. *Eml* —5E **51**
Crofts, The. *Heck* —2B **14**
(in two parts)
Croft St. *Brigh* —4A **10**
Croft St. *Dew* —6E **15**
Croft St. *Heck* —3H **13**
Croft St. *Hud* —5E **33**
Croft, The. *Ting* —1D **16**
Croisdale Clo. *Liv* —2C **12**
Cromarty Av. *Hud* —2E **45**
Cromarty Dri. *Hud* —2E **45**
Cromwell Clo. *Hud* —2C **8**
Cromwell Pl. *Oss* —1D **28**
Cromwell Rd. *S'wram* —2C **8**
Cromwell View. *Hud* —2D **8**
Cromwell Wood La. *Brigh* —4F **9**
Crosland Edge. *Mel* —2F **53**
Crosland Factory La. *Hud*
—1G **53**
Crosland Hill Rd. *Hud* —1D **44**
Crosland Rd. *Hud & Oak* —6B **20**
Crosland Rd. *Thor L* —6G **33**
Crosland Spring Rd. *Hud*
—6D **44**
Crosland St. *Hud* —6G **33**
Cross Bank Rd. *Bat* —6C **6**
Cross Bank St. *Dew* —6F **15**
Crossbank St. *Mir* —5E **25**
Cross Chu. St. *Cleck* —5C **4**
Cross Chu. St. *Hud* —4B **34**
Cross Chu. St. *Pad* —5F **33**
Cross Cotts. *Mar* —3G **33**
(off Lawrence Rd.)
Cross Crown St. *Cleck* —5B **4**
Cross Field. *Holy G* —4E **19**
Crossfield Ct. *Ove* —4H **39**

Cross Fields. *Hud* —3E **35**
Crossfields. *Ove* —4H **39**
Cross Firs St. *Hud* —5D **32**
Cross Foundry St. *Dew* —3A **26**
Cross Ga. Rd. *H'frth* —6F **63**
Cross Grn. Dri. *Hud* —4G **35**
Cross Grn. Rd. *Hud* —4G **35**
Cross Gro. St. *Hud* —5A **34**
Cross Hill. *G'lnd* —1G **19**
Cross Hill La. *Harts* —5A **12**
Crosshills Mt. *G'lnd* —1G **19**
Crossings, The. *Bat* —4B **6**
Cross Keys. *Oss* —1G **29**
Crossland Ct. *Hud* —1B **32**
Cross La. *Brigh* —5E **11**
Cross La. *Ell* —2A **20**
Cross La. *Eml* —4F **51**
Cross La. *H'frth* —5G **63**
Cross La. *Hon* —4C **54**
Cross La. *Hud* —2A **46**
Cross La. *Kbtn* —2A **58**
Cross La. *Shep* —2G **65**
Cross La. *Skelm* —5G **59**
Cross La. *Stkmr* —4E **57**
Crossley Clo. *Mir* —6E **13**
Crossley Gro. *Mir* —6E **13**
Crossley Hill. *Hal* —3A **8**
Crossley La. *Hud* —3G **35**
Crossley La. *Mir* —6E **13**
Crossley St. *Brigh* —5B **10**
Crossley St. *Liv* —4G **13**
Crossley Ter. *Bat* —3E **15**
Crossmount St. *Bat* —3E **15**
Cross Pk. St. *Bat* —1F **15**
Cross Pk. St. *Dew* —6H **15**
Cross Pl. *Brigh* —2B **10**
(off Bradford Rd.)
Cross Rink St. *Bat* —3F **15**
Cross Rd. *Dew* —6E **27**
Cross Ryecroft St. *Oss* —1C **28**
Cross St. *Bat* —1F **15**
Cross St. *Brigh* —2A **10**
Cross St. *Dew* —6F **15**
Cross St. *G'lnd* —1H **19**
Cross St. *Holy G* —4F **19**
Cross St. *Hon* —2D **54**
Cross St. *Hud* —6G **33**
Cross St. *Liv* —4E **13**
Cross St. *Oss* —5C **16**
Cross St. *Sav T* —1F **27**
Cross, The. *Ell* —4B **20**
Crow La. *Hud* —5C **32**
Crowlees Clo. *Mir* —3F **25**
Crowlees Gdns. *Mir* —3F **25**
Crowlees Rd. *Mir* —3E **25**
Crown Clo. *Dew* —1A **28**
Crow Nest Ter. *Dew* —1D **26**
(off Cemetery Rd.)
Crow Nest View. *Dew* —1C **26**
Crown Flatt Way. *Dew* —5G **15**
Crownlands La. *Oss* —2D **28**
Crown La. *H'frth* —3E **63**
Crown Point Clo. *Oss* —2C **28**
Crown Point Dri. *Oss* —1C **28**
Crown Point Rd. *Oss* —2C **28**
Crown St. *Brigh* —3A **10**
Crown St. *Cleck* —5B **4**
Crown St. *Ell* —1B **20**
Crown St. *Hon* —1C **54**
Crown St. *Liv* —2F **13**
Crown St. *Oss* —5E **29**
Crown St. *Scis* —5B **60**
Crown Ter. *Clay W* —3D **60**
Crow's Nest Ct. *Mir* —3D **24**
(off York Rd.)
Crowther Clo. *Slai* —2E **43**

Crowther Rd. *Heck* —1A **14**
Crowther Rd. *Mir* —3D **24**
Crowther St. *Bat* —1B **14**
Crowther St. *Cleck* —4B **4**
Crowther St. *Hud* —5B **34**
Crowther St. *Lock* —1H **45**
Crowtrees Cres. *Brigh* —1H **21**
Crowtrees La. *Ras* —1H **21**
Crowtrees Pde. *Brigh* —1H **21**
(off Crowtrees La.)
Crowtrees Pk. *Brigh* —6H **9**
Crow Trees Rd. *Mars* —2H **41**
Crow Wood La. *Holy G* —6A **18**
Cuckoo La. *Hon* —2D **54**
Cuckstool Rd. *Den D* —2G **67**
Cullingworth St. *Dew* —3C **14**
Cumberland Av. *Hud* —3A **22**
Cumberworth La. *Lwr C* —1E **67**
Cumberworth La. *Up Cum*
—3G **65**
Cumberworth Rd. *Skelm* —5F **59**
Curwen Cres. *Heck* —1A **14**
Curzon St. *Hud* —2G **23**
Cuttlehurst. *Scis* —6B **60**
Cypress Fold. *Lep* —1C **48**
Cyprus Cres. *Mir* —1H **25**
Cyprus St. *Oss* —6C **16**

Dacre Av. *Wake* —4H **29**
Dacre Clo. *Liv* —1D **12**
Daisy Clo. *Birs* —2A **6**
Daisy Hill. *Dew* —6E **15**
Daisy Lea. *Hud* —2E **31**
Daisy Lea La. *Hud* —1D **32**
Daisy Rd. *Brigh* —5B **10**
Daisy Royd. *Hud* —2A **46**
Daisy St. *Brigh* —4A **10**
Dale Clo. *Bat* —4E **15**
Dale Clo. *Den D* —3F **67**
Dale Clo. *Oss* —2E **29**
Dale Ct. *H'frth* —2F **63**
Dale Ct. *Skelm* —4G **59**
Dale La. *Heck* —1H **13**
Daleside. *Dew* —1E **39**
Daleside. *G'lnd* —1E **19**
Daleside Av. *H'frth* —1G **63**
Dale St. *Dew* —3D **26**
Dale St. *Hud* —5A **34**
Dale St. *Lgwd* —4C **32**
Dale St. *Oss* —2D **28**
Dale St. *Skelm* —4G **59**
Dalmeny Av. *Hud* —2E **45**
Dalmeny Clo. *Hud* —1E **45**
Dalton Bank Rd. *Hud* —1G **35**
Dalton Clowes. *Hud* —3E **35**
Dalton Fold Rd. *Hud* —3D **34**
Dalton Grn. La. *Hud* —3G **35**
Dalton Gro. *Hud* —3E **35**
Dam Head La. *Lep* —4D **36**
Dam Hill. *Shel* —3F **57**
Damside Rd. *Hud* —6B **34**
Danebury Rd. *Brigh* —5B **10**
Darbyfields. *Gol* —4A **32**
Dark La. *Bat* —2D **14**
Dark La. *Birs* —1B **6**
Dark La. *Den* —2F **67**
Dark La. *Hud* —2G **47**
Dark La. *Mars* —3B **40**
Dark La. *S'wram* —2D **8**
Darley Rd. *Liv* —1D **12**
Darley St. *Hud* —1H **13**
Darnley Clo. *Mel* —5E **53**
Dartmouth Av. *Hud* —1G **47**
Dartmouth Ter. *Far T* —6E **47**
David La. *Dew* —4E **15**

Daw Royds. *Hud* —5G **35**
Dawson Gdns. *Dew* —6D **14**
(off Halliley St.)
Dawson Rd. *Hud* —1B **46**
Day St. *Dew* —3A **26**
Day St. *Hud* —5C **34**
Deacon Clo. *Mel* —4E **53**
Deadmanstone. *Hud* —4H **45**
Dean Av. *H'frth* —6D **54**
Dean Bri. La. *Hep* —5H **63**
Dean Brook Rd. *H'frth* —6D **54**
Dean Brook Rd. *Hud* —4G **45**
Dean End. *G'lnd* —1G **19**
Deanhouse La. *H'frth* —6E **55**
Dean Ho. La. *Slnd* —2A **30**
Dean La. *H'frth* —6H **63**
Dean Rd. *H'frth* —2A **62**
Dean St. *Ell* —2B **20**
Dean St. *G'lnd* —2G **19**
Dean St. *Hud* —2D **32**
Dearden St. *Oss* —3D **28**
Dearne Courthouse. *Scis* —5B **60**
(off Wakefield Rd.)
Dearne Dike La. *Cumb* —3G **65**
Dearne Fold. *Hud* —1D **32**
Dearne Pk. *Clay W* —4C **60**
Dearne Royd. *Scis* —4C **60**
Dearneside Rd. *Den D* —3F **67**
Dearne St. *Scis* —5B **60**
Dearne Way. *Birds* —3B **66**
Dearne Way. *Clay W* —2E **61**
Dearnfield. *Up Cum* —2C **66**
Dearnley St. *Dew* —2A **26**
Deepdale Ho. *Bat* —4E **15**
(off Wilson Wood St.)
Deep La. *Brigh* —4E **11**
Deep La. *Hud* —1D **44**
Deer Croft Av. *Hud* —2B **32**
Deer Croft Cres. *Hud* —2B **32**
Deer Croft Dri. *Hud* —2B **32**
Deer Croft Rd. *Hud* —1B **32**
Deer Hill Clo. *Mars* —5F **41**
Deer Hill Ct. *Mel* —4C **52**
Deer Hill Croft. *Mars* —5F **41**
(off Deer Hill Dri.)
Deer Hill Dri. *Mars* —5F **41**
Deer Hill End Rd. *Mel* —3A **52**
Deershaw La. *Cumb* —3E **65**
Deershaw Sike La. *Cumb*
—3E **65**
Deganwy Dri. *Hud* —6A **24**
Deighton La. *Bat* —1C **14**
Deighton Rd. *Hud* —5D **22**
De Lacy Av. *Hud* —6F **35**
Delf Hill. *Brigh* —1G **21**
Delf Pl. *Brigh* —1G **21**
Dell, The. *Hud* —4B **22**
Delmont Clo. *Bat* —6A **6**
Delph La. *Hud* —5F **45**
Delves Ga. *Slai* —6D **42**
Delves Wood Rd. *Hud* —3E **45**
Denby Clo. *Birs* —3H **5**
Denby Clo. *Liv* —1D **12**
Denby Grange La. *Grng M*
—6C **38**
Denby La. *Grng M* —5A **38**
Denby La. *Up Den* —5C **66**
Denby La. Cres. *Grng M* —5A **38**
Denby Pk. Dri. *Grng M* —5A **38**
Denby View. *Dew* —1F **39**
Dene Clo. *Ell* —3A **20**
Dene Pk. *Kbtn* —5D **48**
Dene Rd. *Skelm* —5F **59**
Dene Royd Ct. *Slnd* —5D **18**
Deneside. *Oss* —1C **28**
Denham Av. *Morl* —2H **7**

Denham Ct. *Bat* —5C **6**
Denham Dri. *H'frth* —6D **54**
Denham St. *Bat* —5C **6**
Denham St. *Brigh* —5A **10**
Denholme Dri. *Oss* —1D **28**
Denison St. *Bat* —2E **15**
Denton Row. *Holy G* —4G **19**
Derby Ter. *Mars* —4F **41**
Derwent Dri. *Hud* —3D **34**
Derwent Rd. *Dew* —3H **15**
Derwent Rd. *Hon* —3C **54**
Derwent Rd. *Mel* —5E **53**
Derwin Av. *Stkmr* —4E **57**
De Trafford St. *Hud* —6F **33**
Deveron Gro. *Hud* —2G **33**
Devon Gro. *Oss* —4C **28**
Devonshire St. *Hud* —1G **45**
Devon Wlk. *Dew* —6D **14**
Dewhirst Rd. *Brigh* —2A **10**
Dewhurst Rd. *Hud* —6B **22**
Dewsbury Ga. Rd. *Dew* —3B **14**
Dewsbury Ring Rd. *Dew* —6E **15**
Dewsbury Rd. *Cleck* —5C **4**
Dewsbury Rd. *Dew* —1B **16**
Dewsbury Rd. *Ell* —2C **20**
Dewsbury Rd. *Gom* —1F **5**
Dewsbury Rd. *Oss* —6C **16**
Dewsbury Rd. *Wake* —3H **29**
Deyne Rd. *Hud* —5E **45**
Diamond St. *Bat* —6D **6**
Diamond St. *Hill* —2B **34**
Diamond St. *Mold* —5D **34**
Dick Edge La. *Cumb* —6D **64**
Dickinson Gdns. *Dew* —6D **14**
  (off Travis Lacey Ter.)
Dickson Fold. *Liv* —2D **12**
Digley Rd. *H'frth* —6A **62**
Dimple Gdns. *Oss* —4D **28**
Dimple Wells Clo. *Oss* —4D **28**
Dimple Wells La. *Oss* —4D **28**
Dimple Wells Rd. *Oss* —4D **28**
Dingle Rd. *Hud* —4F **33**
Dingley Rd. *Hud* —2E **33**
Dirker Av. *Mars* —3G **41**
Dirker Bank Rd. *Mars* —3F **41**
Dirker Dri. *Mars* —4F **41**
Disney Clo. *Hud* —1F **45**
Dobb La. *H'frth* —6A **62**
Dobb Top Rd. *Holmb* —6A **62**
Dob Royd. *Shep* —1F **65**
Dockery *Hud* —1H **45**
Doctor Fold. *Hon* —1D **54**
Doctor La. *Floc* —2D **50**
Doctor La. *Mir* —4E **25**
Doctor La. *Shel* —3A **58**
Doctors Row. *Hud* —2A **36**
Dodds Royd. *Hud* —4G **45**
Dodgson St. *Ell* —3B **20**
Dodlee La. *Hud* —4A **32**
Dog Kennel Bank. *Hud* —5C **34**
Dog Kennel La. *Hal* —1A **8**
Dog La. *G'lnd* —1B **18**
Dog La. *Holy G* —6B **18**
Dogley La. *Fen B* —3B **48**
Dogley Villa Ct. *Fen B* —3B **48**
Doles La. *Brigh* —2E **11**
Dolfin Pl. *Hud* —3F **23**
Doncaster St. *Hal* —3A **8**
Dorchester Rd. *Hud* —3B **22**
Dorset St. *Hud* —2H **33**
Dorset Wlk. *Dew* —6D **14**
  (off Boothroyd La.)
Doubting La. *Dew* —1F **39**
Doubting Rd. *Dew* —1F **39**
Douglas Av. *Bat* —1H **15**
Douglas Av. *Mold* —5E **35**

Douglas Av. *Pad* —5D **32**
Douglas St. *Dew* —4E **27**
Dovecote Clo. *Horb* —6H **29**
Dovecote La. *Horb* —6G **29**
Dovecote Lodge. *Horb* —6H **29**
Dover La. *H'frth* —5E **63**
Dover Rd. *H'frth* —5E **63**
Dowker St. *Hud* —5D **32**
Downing St. *Lint* —4G **43**
Downshutts La. *H'frth* —3H **63**
Dray View. *Dew* —4B **14**
Drinker La. *Shel* —1D **58**
Drive, The. *Bat* —6C **6**
Drub La. *Cleck* —2C **4**
Drummer La. *Gol* —1E **43**
Drury La. *Holy G* —4D **18**
Dryclough Av. *Hud* —2E **45**
Dryclough Rd. *Hud* —1E **45**
Dry Hill La. *Den D* —3H **67**
Dudley Av. *Birs* —2C **6**
Dudley Av. *Hud* —4F **33**
Dudley Rd. *Hud* —4F **33**
Duke St. *Dew* —3A **26**
Duke St. *Ell* —2B **20**
Duke Wood Rd. *Clay W* —4C **60**
Dunbottle Clo. *Mir* —3F **25**
Dunbottle La. *Mir* —2F **25**
Dunce Pk. Clo. *Ell* —3B **20**
Dundas St. *Hud* —4A **34**
Dunford Rd. *H'frth* —3E **63**
Dunham Ct. Hud —3A **34**
  (off Rook St.)
Dunnock Rd. *Mel* —2C **52**
Dunsley Bank Rd. *H'frth* —6D **62**
Dunsmore Dri. *Hud* —2B **32**
Dunstan Clo. *Oss* —4E **29**
Dyehouse Dri. *West I* —2A **4**
Dyehouse La. *Brigh* —5B **10**
Dyke Bottom. *Shep* —6H **57**
Dyke Clo. *Mir* —6E **13**
Dyke End. *Gol* —1F **43**
Dymond Gro. *Liv* —3E **13**
Dymond Rd. *Liv* —3F **13**
Dymond View. *Liv* —3E **13**
Dyson La. *H'frth* —6F **63**
Dyson Pl. Hal —3A **8**
  (off Ashgrove Av.)
Dyson's Hill. *Hon* —1D **54**
Dyson St. *Brigh* —3A **10**
Dyson St. *Hud* —4E **35**

Ealand Av. *Bat* —5C **6**
Ealand Cres. *Bat* —5C **6**
Ealand Rd. *Bat* —4B **6**
  (in two parts)
Ealing Ct. *Bat* —6C **6**
Earles Av. *Hud* —5E **35**
Earl St. *Dew* —6B **16**
Easby Av. *Bat* —2B **14**
Easingwood Dri. *Hud* —1H **35**
East Av. *Hud* —1E **33**
E. Bath St. *Bat* —1F **15**
Eastborough Cres. *Dew* —5F **15**
East Clo. *Hud* —6B **22**
Eastfield. *Shep* —6H **57**
Eastfield Dri. *Kbtn* —5C **48**
Eastfield Rd. *Mir* —2H **25**
East Fold. *Skelm* —5A **60**
Eastgate. *Ell* —1B **20**
Eastgate. *Hon* —2D **54**
East Gro. *Hud* —2A **36**
Eastlands. *Hud* —6G **35**
East Mt. *Brigh* —3A **10**
East Mt. Pl. *Brigh* —3A **10**
Easton Pl. *Hud* —3D **32**

East Pk. St. *Morl* —1H **7**
East St. *Bat* —1E **15**
East St. *Brigh* —5A **10**
East St. *Gol* —6A **32**
East St. *Hud* —1D **32**
East St. *Jack B* —5A **64**
E. Thorpe Pl. *Mir* —4F **25**
East View. *Mir* —2D **24**
East View. *Oss* —5E **29**
E. View Ter. *Shel* —3B **58**
Eastway. *Mir* —1D **24**
Eastway Pk. *Mir* —1E **25**
Eastwood St. *Brigh* —3B **10**
Eastwood St. *Hud* —5D **34**
Ebor Gdns. *Mir* —3D **24**
Ebson Ho. La. *N Mill* —2D **64**
Ebury Clo. *Bat* —6F **7**
Ebury St. *Bat* —6F **7**
Echo St. *Liv* —4D **12**
Edale Av. *New* —3H **45**
Edale Clo. *Khtn* —2H **35**
Eddercliff Cres. *Liv* —6E **5**
Eden Av. *Oss* —2D **28**
Edge Av. *Dew* —1F **39**
Edge Clo. *Dew* —1G **39**
Edge Clo. *Gol* —6A **32**
Edge Hill Clo. *Hud* —3D **34**
Edge Junct. *Dew* —1F **39**
Edge La. *Dew* —6G **27**
Edgemoor Rd. *Hon* —3C **54**
Edge Rd. *Dew* —1G **39**
Edgerton Grn. *Hud* —3G **33**
Edgerton Gro. Rd. *Hud* —3G **33**
Edgerton Ho. *Hud* —1F **33**
Edgerton La. *Hud* —3G **33**
Edgerton Rd. *Hud* —2G **33**
Edge Ter. *Hud* —3B **32**
Edge Top Rd. *Dew* —1E **39**
Edge View. *Dew* —1G **39**
Edge View. *Gol* —6A **32**
Edgeware Rd. *Hud* —4G **35**
Edward Clo. *Dew* —5D **26**
Edward Clo. *S'wram* —2C **8**
Edward Rd. *Mir* —3D **24**
Edward St. *Brigh* —3A **10**
Edward St. *Clif* —4C **10**
Edward St. *Lit T* —1E **13**
Edward St. *Liv* —2E **13**
Eighth Av. *Liv* —1H **11**
Eightlands Rd. *Dew* —6E **15**
Eland Ho. Ell —1B **20**
  (off Southgate)
Elba Ter. *Horb* —5H **29**
Elder Clo. *Bat* —2B **6**
Elder Dri. *Dew* —5F **27**
Elder Gro. *Neth* —6F **45**
Elder Gro. M. *Neth* —6F **45**
Elder La. *Hud* —4G **23**
Elder M. *Shel* —3H **57**
Elder Rd. *Hud* —3F **23**
Eldon Pl. *Cleck* —5C **4**
Eldon Rd. *Hud* —4F **33**
Eldon St. *Heck* —2H **13**
Eldon St. *Oss* —1F **29**
Eleanor St. *Brigh* —5A **10**
Eleanor St. *Hud* —2A **34**
Eleventh Av. *Liv* —1A **12**
Elgin Clo. *Hud* —2E **45**
Elim Wlk. Dew —6E **15**
  (off Willan's Rd.)
Elizabeth St. *Ell* —2B **20**
Elizabeth St. *G'lnd* —1H **19**
Elizabeth St. *Hud* —1A **46**
Elizabeth St. *Liv* —2C **12**
Elland Bri. *Ell* —1B **20**
Elland Hall Cvn. Site. *Ell* —1A **20**

Elland La. *Ell* —1C **20**
  (in two parts)
Elland Riorges Link. *Lfds B*
  —1C **20**
Elland Rd. *Brigh* —4A **10**
Elland Rd. *Ell* —5C **8**
Elland Wood Bottom. *G'lnd*
  —5A **8**
Ellerslie Ct. *Hud* —2F **33**
Ellis Ct. *Oss* —5E **29**
Ellison St. *Hud* —6F **33**
Ellistones Gdns. *G'lnd* —1E **19**
Ellistones La. *G'lnd* —2E **19**
Ellmont Av. *Eml* —6E **51**
Elm Av. *H'frth* —6G **55**
Elm Clo. *Oss* —5E **29**
Elm Ct. *B'shaw* —1F **5**
Elm Ct. *Kbtn* —5D **48**
Elmfield Av. *Hud* —5B **32**
Elmfield Dri. *Skelm* —5G **59**
Elmfield Rd. *Hud* —1G **33**
Elmfield Ter. *Hud* —4D **34**
Elm Gro. *Gom* —4E **5**
Elm Gro. *Heck* —1G **13**
Elm Rd. *Dew* —6B **14**
Elms Hill. *Slai* —4D **42**
Elm St. *Holy G* —4E **19**
Elm St. *Hud* —6B **34**
Elm St. *Skelm* —4G **59**
Elm Ter. *Brigh* —1B **10**
Elm Tree Clo. *Liv* —4G **13**
Elm Way. *Birs* —2C **6**
Elmwood Av. *Hud* —3A **34**
Elmwood Clo. *Hud* —3A **34**
Elmwood Clo. *Mir* —1D **36**
Elmwood Dri. *Brigh* —3H **9**
Elmwood Gro. *Bat* —3F **15**
Elm Wood St. *Brigh* —2B **10**
Elmwood Ter. *Dew* —5E **15**
Elsinore Av. *Ell* —2A **20**
Elsinore Ct. *Ell* —2A **20**
Elvaston Rd. *Morl* —1H **7**
Ely St. *G'lnd* —2H **19**
Emerald St. *Bat* —6D **6**
Emerald St. *Hud* —2B **34**
Emley Moor Bus. Pk. *Eml*
  —6D **50**
Emmanuel Ter. *Hud* —2H **45**
Empsall Row. *Brigh* —3B **10**
  (off Camm St.)
Enfield Clo. *Bat* —6B **6**
Enfield Dri. *Bat* —6B **6**
Ennerdale Av. *Dew* —4G **15**
Ennerdale Cres. *Dew* —4G **15**
Ennerdale Rd. *Dew* —4G **15**
Enoch La. *Hud* —1H **45**
Epsom Way. *Khtn* —1A **36**
Ernest St. *Dew* —5F **15**
Eshalt Pl. Dew —5E **15**
  (off Bradford Rd.)
Eskdale Clo. *Dew* —3G **15**
Eton Av. *Hud* —4F **35**
Euden Edge Rd. *Slai* —1E **43**
Eunice La. *Up Cum* —2C **66**
  (in two parts)
Everard St. *Hud* —6F **33**
Exchange. *Hon* —2D **54**
Exchange St. *Cleck* —3B **4**
Exchange St. *G'lnd* —2H **19**
Exeter St. *Hal* —3A **8**
Exley Bank. *Hal* —4A **8**
Exley Bank Top. *Hal* —5A **8**
Exley Gdns. *Hal* —5A **8**
Exley La. *Hal & Ell* —5A **8**
Eyre St. *Bat* —2F **15**
Eyre St. *Dew* —4D **26**

Garden Ct. *Hud* —6H *33*
(off St Stephen's Rd.)
Garden Cres. *Dew* —2A 26
Garden Dri. *Dew* —2A 26
Garden Pde. *Liv* —6E 5
Garden Pl. *Dew* —5B 14
Garden Rd. *Brigh* —2H 9
Gardens Rd. *Dew* —2A 26
Gardens, The. *Morl* —2H 7
Garden St. *Dew* —2H 25
Garden St. *Heck* —3H 13
Garden St. *Hud* —6H 33
Garden Ter. *Den D* —3F 67
Garden Ter. *Dew* —2A 26
Garden View. *Liv* —6E 5
Garden Wlk. *Liv* —1E 13
Garfield Pl. *Mars* —4F 41
Garfit Hill. *Gom & Birs* —4H 5
Garforth Ct. *Mir* —1E 25
Garforth St. *Neth* —5E 45
Gargrave Clo. *Brigh* —6F 9
Gargrave Pl. *Wake* —3H 29
Garlick St. *Brigh* —2G 21
Garner La. *Hon* —2B 54
Garner La. *Kbtn* —4B 48
Garnett St. *Dew* —3B 14
Garsdale Rd. *Hud* —2B 46
Garwick Ter. *G'lnd* —1H 19
Gaskell Dri. *Horb* —6G 29
Gasson St. *Hud* —6C 32
Gas Works La. *Shep* —2E 65
Gate Head. *Mars* —4H 41
Gatehead Bank. *Mars* —3H 41
Gate Head La. *G'lnd* —2D 18
Gatehouse Cen. *Hud* —1H *45*
(off Albert St.)
Gatesgarth Cres. *Hud* —1C 32
Gathorne St. *Brigh* —3B 10
Gawthorpe Grn. La. *Hud & Lep*
—4C 36
Gawthorpe La. *Hud* —5B 36
Gawthorpe La. *Oss & K'gte*
—5D 16
Gelderd Rd. *Birs* —3B 6
Gelder Ter. *Hud* —5C 34
George Av. *Hud* —2G 33
George St. *Bat* —2E 15
George St. *Brigh* —4C 10
George St. *Cleck* —4B 4
George St. *Cros M* —6G 33
George St. *Dew M* —6B 14
George St. *Ell* —2B 20
George St. *G'lnd* —1H 19
George St. *Heck* —2H 13
George St. *Hud* —4A 34
George St. *Kbtn* —6D 48
George St. *Lind* —1D 32
George St. *Liv* —2E 13
George St. *Milns* —5D 32
George St. *Oss* —1C 28
George St. *Ras* —5A 10
George St. *Raven* —3A 26
George St. *Fla* —6E 15
Georgia M. *Oss* —4F 29
Gernhill Av. *Hud* —3H 21
Gervase Rd. *Horb* —6G 29
Ghyll, The. *Hud* —4A 22
Gib La. *Hon* —4E 55
Gib La. *Skelm* —4G 59
Gibson St. *Hud* —3E 33
Gilbert Gdns. *Bklnd* —2B 18
Gilbert Gro. *Hud* —2F 45

Gilead Rd. *Hud* —3A 32
Giles St. *H'frth* —6D 54
Gill La. *H'frth* —6C 62
Gillroyd La. *Lint* —5H 43
Gilthwaites Cres. *Den D* —1G 67
Gilthwaites Gro. *Den D* —2G 67
Gilthwaites La. *Den D* —1G 67
Gilthwaites Top. *Den D* —1G 67
Gisbourne Rd. *Hud* —3E 23
Gladstone Ct. *Dew* —5C *14*
(off School La.)
Gladstone St. *Cleck* —5B 4
Gladstone St. *Holy G* —4E 19
Gladstone View. *Hal* —3A 8
Gladwin St. *Bat* —2D 14
Glastonbury Dri. *Hud* —5B 32
Glebe Clo. *Eml* —5F 51
Glebe Ga. *Dew* —1H 39
Glebe St. *Hud* —3G 33
Gledhill Ter. *Dew* —6B 14
Gledholt Bank. *Hud* —4G 33
Gledholt Rd. *Hud* —3G 33
Glen Av. *Bat* —6E 7
Glencoe Ter. *Liv* —3F 13
Glendorne Dri. *Kbtn* —1A 36
Glen Field Av. *Hud* —5F 23
Glenholme Ter. *Oss* —5D 16
Glenlow Rd. *Dew* —3H 15
Glenside Clo. *Hud* —2F 33
Glen Side Rd. *Slai* —4E 43
Glen View Rd. *Shel* —4A 58
Globe Ct. *Liv* —2F 13
Glyndon Ct. *Brigh* —6B 10
Gog Hill. *Ell* —1B 20
Golcar Brow Rd. *Mel* —4C 52
Goldcrest Ct. *Neth* —5G 45
Golden Sq. *Horb* —6H 29
Goldfields Av. *G'lnd* —1F 19
Goldfields Way. *G'lnd* —1F 19
Goldington Av. *Hud* —1B 32
Goldington Dri. *Hud* —2C 32
Golf La. *Morl* —3G 7
Gomersal La. *Cleck* —5D 4
Gomersal Rd. *Heck* —6G 5
Gooder La. *Brigh* —5A 10
Gooder St. *Brigh* —4A 10
Goods La. *Dew* —1F 27
Goodwin Pl. *Hud* —3F 23
Goose Grn. *H'frth* —4E 63
Goose Hill. *Heck* —2H 13
Gordale Clo. *Bat* —1D 14
Gordon Av. *Oss* —2D 28
Gordon St. *Ell* —2B 20
Gordon St. *Slai* —4E 43
Gordon Ter. *Lint* —2H 43
Goring Pk. Av. *Oss* —4G 29
Gorse Rd. *Hud* —4E 33
Gosport Clo. *Hud* —2E 31
Gosport La. *Outl* —2E 31
Gosport La. *Sow* —1D 30
Grace Leather La. *Bat* —1G 15
Grafton St. *Bat* —3F 15
Gramfield Rd. *Hud* —1D 44
Grammer School Pl. *Brigh* —6H *9*
(off Church St.)
Grampian Clo. *Shel* —3H 57
Grand Cross Rd. *Hud* —4E 35
Grand Stand. *Gol* —5F 31
Grange Av. *Bat* —3D 14
Grange Av. *Hud* —1H 33
Grange Av. *Mars* —4G 41
Grange Bank Clo. *Hud* —3D 34
Grange Clo. *Outl* —2E 31
Grange Cotts. *Mars* —4G 41
Grange Ct. *Hal* —3C 8

Grange Dri. *Eml* —4F 51
Grange Dri. *Oss* —5F 29
Grangefield Av. *Bat* —3D 14
Grange Heights. *Hal* —3C 8
Grange La. *Brigh* —4E 11
Grange La. *Floc* —6F 39
Grange La. *Kbtn* —3F 57
Grange Rd. *Bat & Dew* —2G 15
Grange Rd. *Cleck* —4A 4
Grange Rd. *Gol* —4A 32
Grange Rd. *Stainc* —3C 14
Grange Ter. *Mars* —3G 41
Grange View. *Dew* —1F 39
Granny Hall Gro. *Brigh* —2H 9
Granny Hall La. *Brigh* —2H 9
Granny Hall Pk. *Brigh* —2H 9
Granny La. *Mir* —5E 25
Grantley Pl. *Hud* —3D 22
Granville St. *Dew* —6E 15
Granville St. *Ell* —2B 20
Granville St. *Liv* —3F 13
Granville Ter. *Hud* —5G 33
Grasmere Dri. *Ell* —1D 20
Grasmere Rd. *Dew* —4G 15
Grasmere Rd. *Hud* —3G 33
Grasmere Rd. *Mel* —5E 53
Grasscroft. *Hud* —2F 47
Grasscroft Av. *Hon* —2C 54
Grasscroft Clo. *Hon* —2C 54
Grasscroft Rd. *Hud* —3G 33
Grassmoor Fold. *Hon* —3E 55
Gray St. *Liv* —2C 12
Great Ben La. *Slai* —6C 30
Greatfield Clo. *Oss* —2E 29
Greatfield Dri. *Oss* —2E 29
Greatfield Gdns. *Oss* —3E 29
Greatfield Rd. *Oss* —3E 29
Gt. Northern St. *Hud* —3B 34
Gt. Pond St. *Dew* —3B 26
Gt. Wood St. *Bat* —2E 15
Greave Clo. *Hud* —4B 22
Greave Ho. La. *Lep* —1B 48
Greave Ho. Ter. *Lep* —1B 48
Greaves Croft. *Lep* —1B 48
Greaves Fold. *Holy G* —4G 19
Greaves Rd. *Dew* —5E 15
Greenacre Dri. *Up Den* —5E 67
Greenacres. *Oss* —5D 16
Green Acres Clo. *Eml* —6E 51
Greenacres Clo. *Oss* —5D 16
Greenacres Dri. *Birs* —2B 6
Green Av. *Heck* —2A 14
Grn. Balk La. *Lep* —1D 48
Green Cliff. *Hon* —1D 54
Green Clo. *Bat* —1G 15
Green Clo. *Dew* —4C 14
Green Cres. *Gol* —5A 32
Greendale Ct. *Hon* —1D 54
Green End. *Brigh* —5A 10
Greenfield Av. *Hud* —2C 32
Greenfield Av. *Oss* —4G 29
Greenfield Clo. *Oss* —4G 29
Greenfield Clo. *Sow* —6D 18
Greenfield Clo. *Up Den* —5F 67
Greenfield Rd. *H'frth* —3A 62
Greenfield Rd. *Oss* —4G 29
Greenfields. *Heck* —1G 13
Greenfinch Gro. *Neth* —6G 45
Green Gdns. *Gol* —5A 32
Green Ga. La. *Slai* —1A 52
Greenhead Av. *Hud* —5F 35
Greenhead Ct. *Hud* —3G 33
Greenhead La. *Brigh* —2G 21
Greenhead La. *Hud* —5F 35
Greenhead Rd. *Hud* —4G 33
Greenhill Bank Rd. *N Mill* —3H 63

Greenhill Rd. *Hud* —3A 32
Green Ho. Hill. *Shel* —2C 58
Green Ho. La. *Shel* —2C 58
Greenhouse Rd. *Hud* —6A 22
Green La. *Brigh* —1G 9
Green La. *Clif* —4E 11
Green La. *Den D* —6B 66
Green La. *Dew* —5C 14
Green La. *G'lnd* —2G 19
Green La. *H'frth* —6E 63
Green La. *Huns* —2B 4
Green La. *Liv* —3B 12
Green La. *Mars* —1H 41
Green La. *Mel* —5E 53
Green La. *Ove* —4H 39
Green La. *Slai* —4B 42
Green La. *Sow* —1D 30
Green La. Clo. *Ove* —3H 39
Green La. Ter. *Gol* —4G 31
Greenlaws Clo. *H'frth* —3B 62
Greenlay Dri. *K'gte* —4H 17
Grn. Lea Rd. *Hud* —4F 35
Green Mt. *Hud* —5D 34
Green Pk. Av. *Horb* —6F 29
Green Pk. Av. *Oss* —4E 29
Green Rd. *Liv* —1E 13
Green Royd. *G'lnd* —2G 19
(in two parts)
Greenroyd Av. *Cleck* —2B 4
Greenroyd Croft. *Hud* —1G 33
Greens End Rd. *Mel* —4D 52
Greenside. *Cleck* —5C 4
Greenside. *Den D* —2G 67
Greenside. *Heck* —2G 13
Greenside. *Lwr C* —6E 59
Greenside Av. *Hud* —5G 35
Greenside Cres. *Hud* —5G 35
Greenside Dri. *Hud* —5G 35
Green Side Est. *Mir* —1E 25
Greenside Mt. *Mir* —1F 25
Green Side Rd. *Hud* —3B 56
Greenside Rd. *Mir* —1F 25
Greenside Ter. *Dew* —4A 14
Grn. Slacks La. *Hud* —5A 30
Green St. *Holy G* —4G 19
Green St. *Hud* —3A 34
Green St. *Mel* —4D 52
Green Ter. *Dew* —5C 14
Green Ter. *Mir* —2D 24
Green, The. *Birs* —2B 6
Green, The. *Hud* —3D 22
Green, The. *Mars* —4F 41
Green, The. *Mir* —2C 24
Green, The. *Oss* —4D 28
Green, The. *Thur* —4B 56
Greenway. *Hon* —1D 54
Greenway. *Hud* —5B 32
Greenwood Av. *Dew* —1H 27
Greenwood Bldgs. *Hud* —2B 36
Greenwood St. *Hud* —6A 34
Greenwood St. *Sav T* —2E 27
Greenwood St. *Fla* —6D 14
Gregory Dri. *Kbtn* —5D 48
Gregory La. *Mir* —3E 37
Gregory Springs La. *Mir* —6E 25
Gregory Springs Mt. *Mir* —6F 25
Gregory Springs Rd. *Mir* —6F 25
Gregory St. *Bat* —1G 15
Greyfriars Av. *Hud* —4E 23
Grey Hall Clo. *Slnd* —5D 18
Greystone Av. *Ell* —3A 20
Greystone Ct. *Brigh* —1A 22
Greystones Dri. *Oss* —5E 29
Grimscar Rd. *Hud* —4D 22
Grimsoar Meadow. *Hud* —6F 21
Grimscar Av. *Hud* —6H 21

Grisedale Av. *Hud* —1H **33**
Grosvenor Av. *Lep* —1C **48**
Grosvenor Rd. *Bat* —6F **7**
Grosvenor Rd. *Hud* —4E **35**
Grosvenor St. *Dew* —1E **27**
Grosvenor St. *Ell* —2B **20**
Grosvenor St. *Heck* —1H **13**
Grosvenor Ter. *Heck* —2H **13**
Grosvenor Way. *Lep* —1C **48**
Grove Clo. *Gom* —3F **5**
Grove Cotts. *Brigh* —4G **9**
Grove Gdns. *Dew* —2A **28**
Grove La. *Gom* —3F **5**
Grove Rd. *Heck* —2A **14**
Grove Rd. *Hud* —3B **34**
Groves Hall Rd. *Dew* —6B **14**
Grove Sq. *Gom* —3F **5**
Grove St. *Brigh* —4B **10**
Grove St. *Dew* —6E **15**
Grove St. *Heck* —2A **14**
Grove St. *Hud* —5H **33**
Grove St. *Liv* —4G **13**
Grove St. *Lgwd* —4A **32**
Grove St. *Mir* —2F **25**
Grove St. *Oss* —4D **28**
Grove St. *Slai* —3D **42**
Grove Ter. *Brigh* —4G **9**
Grove, The. *Bat* —5C **6**
Grove, The. *Heck* —6G **5**
Grove, The. *Hud* —6B **22**
Guernsey Rd. *Dew* —4H **15**
Guildford St. *Oss* —4D **28**
Gully Ter. *H'frth* —4F **63**
Gully, The. *Shep* —3E **65**
Gunson Cres. *Oss* —2D **28**
Gunthwaite La. *Up Den* —5F **67**
Guys Croft. *Wake* —4H **29**
Gynn La. *Hon* —2E **55**

Hadassah St. *Hal* —2A **8**
Haddingley La. *Cumb* —5E **65**
Haddon Clo. *Gom* —4F **5**
Hadfield Rd. *Heck* —1H **13**
Hadrian's Clo. *Sal N* —2A **32**
Hagg Hill. *Eml* —6G **51**
Hagg La. *Mir* —5F **25**
Haggroyd La. *Broc* —4F **55**
Haggs Hill Rd. *Oss* —3G **29**
   (in two parts)
Haggs La. *Wake* —3H **29**
Hagg Wood Rd. *Hon* —4F **55**
Hag Hill La. *Eml* —6G **51**
Haigh Ho. Hill. *Hud* —5A **20**
Haigh Ho. Rd. *Hud* —5A **20**
Haigh La. *Floc* —3C **50**
Haigh La. *H'frth* —6D **63**
Haigh Moor Av. *Ting* —1E **17**
Haigh Moor Cres. *Ting* —1E **17**
Haigh Moor Rd. *Ting* —1E **17**
Haigh Moor View. *Ting* —1E **17**
Haighs Sq. *Hud* —3D **34**
Haigh St. *Brigh* —3A **10**
Haigh St. *G'lnd* —1F **19**
Haigh St. *Hud* —1H **45**
Half Ho. La. *Brigh* —1F **9**
Half Moon St. *Hud* —4A **34**
Halifax Ho. *Dew* —3C **14**
Halifax Old Rd. *Hud* —6G **21**
Halifax Rd. *Cleck & Liv* —1G **11**
Halifax Rd. *Dew* —3C **14**
Halifax Rd. *Gom* —4E **31**
Halifax Rd. *G'lnd & Ell* —6A **8**
Halifax Rd. *Heck & Stainc*
   —2B **14**
Halifax Rd. *Hip & Brigh* —1F **9**

Halifax Rd. *Hud* —5D **20**
Hallamshire M. *Wake* —4H **29**
Hallas Gro. *Hud* —5E **35**
Hallas La. *Kbtn* —6F **49**
Hallas Rd. *Kbtn* —6D **48**
Hall Av. *Hud* —5H **33**
Hall Bower La. *Hud* —4B **46**
Hall Cliffe Ct. *Horb* —6G **29**
Hall Cliffe Cres. *Horb* —6G **29**
Hall Cliffe Gro. *Horb* —6G **29**
Hall Cliffe Rise. *Horb* —6H **29**
Hall Cliffe Rd. *Horb* —6G **29**
Hall Clo. *Liv* —3E **13**
Hall Clo. *Oss* —5B **16**
Hall Cross Gro. *Hud* —1C **46**
Hall Cross Rd. *Hud* —1C **46**
Hall Dri. *Liv* —4F **13**
Halliley Gdns. *Dew* —6E **15**
   (off Halliley St.)
Halliley St. *Dew* —6D **14**
Hall Ing La. *Hon* —1F **55**
Hall Ings. *Hal* —3D **8**
Hall La. *Dew* —6G **27**
Hall La. *Gol* —4E **31**
Hall La. *Kbtn* —5C **48**
Hall Lee Rd. *Hud* —1E **33**
Hall St. *Brigh* —4B **10**
Hall St. *Hud* —3B **32**
Halstead La. *N Mill & Thur*
   —6B **56**
Halton Clo. *Hud* —6F **35**
Hambledon Av. *Mel* —5F **53**
Hame, The. *Holy G* —5D **18**
Hammerstones Rd. *Ell* —2H **19**
Hammerston La. *Holy G & Ell*
   —3H **19**
Hammerton Clo. *Ell* —1B **20**
Hammerton Rd. *Hud* —6A **22**
Hammond St. *Hud* —1B **34**
Hampshire St. *Hud* —4D **34**
Hampson St. *Bat* —5C **6**
Hand Bank La. *Mir* —6E **25**
Handel St. *Gol* —6H **31**
Handel Ter. *Hud* —5C **34**
   (off Avenue, The)
Hanging Royd. *Gol* —1H **43**
Hanging Stone Rd. *Hud* —5H **45**
Hanging Wood Way. *West I*
   —2A **4**
Hangram St. *Brigh* —4B **10**
Hanley Rd. *Morl* —1H **7**
Hanover Ct. *Dew* —5C **14**
   (off Staincliffe Rd.)
Hanover Gdns. *Dew* —6D **14**
Hanover Pl. *Bat* —1F **15**
Hanover St. *Bat* —1E **15**
Hanover St. *Dew* —6D **14**
Hanson La. *Hud* —2G **45**
Hanson Rd. *Brigh* —6G **9**
Hanson Rd. *Mel* —5C **52**
Hardcastle La. *Floc* —1F **51**
Harden Hill Rd. *Mel* —6E **53**
Hard Platts La. *Holy G* —5D **18**
Hardy Pl. *Hov E* —1G **9**
Hardy St. *Brigh* —4B **10**
Harefield Dri. *Bat* —3C **6**
Hare Pk. Av. *Liv* —2A **12**
Hare Pk. Clo. *Liv* —2A **12**
Hare Pk. Dri. *Liv* —2A **12**
Hare Pk. Grange. *Liv* —2A **12**
   (off Hare Pk. La.)
Hare Pk. La. *Liv* —3A **12**
Harewood Av. *Heck* —3A **14**
Harewood Gro. *Heck* —3A **14**
Harewood Mt. *Mel* —4F **53**

Harley Pl. *Brigh* —5A **10**
   (off Harley St.)
Harley St. *Brigh* —5A **10**
Harlington Ct. *Morl* —2H **7**
Harlington Rd. *Morl* —2H **7**
Harpe Inge. *Hud* —3E **35**
Harp Rd. *Hud* —5D **32**
Harriet St. *Brigh* —2A **10**
Harrington Ct. *Mel* —5F **53**
Harrison La. *Mel* —2E **53**
Hartington St. *Bat* —3E **15**
Hartley Gro. *Dew* —4E **15**
Hartley St. *Dew* —5E **15**
Hartshead Hall La. *Harts* —6A **12**
Hartshead La. *Harts* —4H **11**
Hart St. *New* —2A **46**
Harvey Royd. *Hud* —6G **35**
Harwood Clo. *Hud* —6E **35**
   (Almondbury Bank)
Harwood Clo. *Hud* —5F **35**
   (Greenhead La.)
Hassocks La. *Hon* —2A **54**
Hassocks Rd. *Mel* —3B **52**
Haughs Grn. *Gol* —5F **31**
Haughs La. *Hud* —3B **32**
Haughs Rd. *Hud* —3C **32**
Havelock St. *Dew* —3A **26**
Havercroft. *Bat* —1E **15**
   (off Hanover St.)
Havercroft. *Oss* —3E **29**
Havercroft Way. *Bat* —1B **14**
Haw Cliff La. *Thur* —5B **56**
Hawes Av. *Hud* —4D **32**
Hawke Av. *Heck* —2A **14**
Hawkroyd Bank Rd. *Hud* —5G **45**
Hawley Clo. *Morl* —2H **7**
Hawley Way. *Morl* —2H **7**
Haworth Clo. *Mir* —2D **24**
Haworth Rd. *Birs* —2B **6**
Hawthorn Av. *Bat* —3C **14**
Hawthorn Clo. *Brigh* —3C **10**
Hawthorn Clo. *K'gte* —2H **17**
Hawthorne Clo. *Fen B* —1B **48**
Hawthorne Clo. *Floc* —1F **51**
Hawthorne Ter. *Cros M* —6E **33**
Hawthorne Way. *Shel* —3H **57**
Hawthorn Rd. *Slai* —2C **42**
Hawthorns, The. *Oss* —5E **29**
Hawthorn Ter. *Oss* —5E **29**
Hayburn Gdns. *Bat* —1D **14**
Hayburn Rd. *Bat* —1C **14**
Hayfield Av. *Hud* —3C **32**
Hayfield Clo. *H'frth* —4H **63**
Hayne La. *Wake* —5G **39**
Hayson Clo. *Dew* —5H **15**
Haywood Av. *Hud* —3E **33**
Hazel Av. *Dew* —1B **28**
Hazel Clo. *Dew* —1B **28**
Hazel Cres. *Dew* —1B **28**
Hazel Dene. *Holy G* —4F **19**
   (off Cross St.)
Hazel Dri. *Dew* —1B **28**
Hazel Gro. *Bat* —2C **14**
Hazel Gro. *Floc* —1F **51**
Hazel Gro. *Hud* —3B **22**
Headfield La. *Dew* —3E **27**
Headfield Rd. *Dew* —4F **27**
   (in two parts)
Headfield Rd. *Hud* —1A **46**
Headfield View. *Dew* —4F **27**
Headlands. *Liv* —3E **13**
Headlands Av. *Oss* —3C **28**
Headlands Clo. *Liv* —3F **13**
Headlands Gro. *Oss* —3C **28**
Headlands Pk. *Oss* —3C **28**

Headlands Rd. *Hud* —3A **34**
Headlands Rd. *Liv* —2E **13**
Headlands Rd. *Oss* —3C **28**
Headlands St. *Liv* —3E **13**
Headlands Wlk. *Oss* —3C **28**
Healds Av. *Liv* —2F **13**
Healds Rd. *Dew* —4C **14**
Healey Clo. *Bat* —1B **14**
Healey Cres. *Oss* —5D **28**
Healey Dri. *Oss* —5D **28**
Healey Grn. La. *Hud* —4D **36**
Healey Houses. *Hud* —2H **53**
Healey La. *Bat* —2B **14**
   (in two parts)
Healey La. *Bstfld* —4B **38**
Healey Rd. *Oss* —5C **28**
Healey St. *Bat* —1B **14**
Healey View. *Oss* —4D **28**
Healey Wood Cres. *Brigh*
   —6A **10**
Healey Wood Gdns. *Brigh*
   —6A **10**
Healey Wood Gro. *Brigh* —6B **10**
Healey Wood Rd. *Brigh* —6A **10**
Heathcliffe Clo. *Birs* —1B **6**
Heath Clo. *Dew* —6B **16**
Heath Clo. *Lint* —5A **44**
Heathdale Av. *Hud* —1H **33**
Heather Av. *Mel* —5E **53**
Heather Clo. *Oss* —5F **29**
Heather Ct. *Birs* —2A **6**
Heather Ct. *Sal N* —2B **32**
Heatherfield Cres. *Hud* —4F **33**
Heatherfield Rd. *Hud* —4F **33**
Heathergrove Fold. *Hud* —3D **34**
Heather Rd. *Mel* —5D **53**
Heather View. *Oss* —3D **28**
Heathfield. *Mir* —2D **24**
Heathfield Av. *Ell* —1D **20**
Heathfield M. *Gol* —6A **32**
Heathfield Rd. *Gol* —6A **32**
Heathfield Rd. *Oss* —6C **16**
Heathfield St. *Ell* —2C **20**
Heath Ho. La. *Slai* —6F **31**
Heath Mt. Rd. *Brigh* —6A **10**
Heath Rd. *Dew* —6B **16**
Heath Rd. *Lint* —5A **44**
Heath St. *Liv* —4F **13**
Heath Wlk. *Dew* —6B **16**
Heathwood Dri. *Gol* —5G **31**
Heaton Av. *Cleck* —5A **4**
Heaton Av. *Dew* —6G **15**
Heaton Av. *Hud* —1A **36**
Heaton Dri. *Hud* —6A **24**
Heaton Fold La. *Hud* —5F **33**
Heaton Gdns. *Hud* —4F **33**
Heaton Gro. *Cleck* —5A **4**
Heaton Moor Rd. *Hud* —1A **36**
Heaton Rd. *Bat* —5E **7**
Heaton Rd. *Hud* —4F **33**
Heaton St. *Cleck* —4B **4**
Heatons Yd. *Brigh* —5B **10**
Heator La. *Up Cum* —1A **66**
Hebble Dri. *H'frth* —1E **63**
Hebble La. *H'frth* —2E **63**
Hebble La. *Mel* —6D **52**
Hebble Mt. *Mel* —5E **53**
Hebble St. *Dew* —3B **26**
Hebble St. *Hud* —2B **34**
Hebden Ct. *Hud* —3D **32**
   (off Chesil Bank.)
Heckmondwike Rd. *Dew* —4A **14**
Heights Dri. *Lint* —5H **43**
Heights La. *Heck* —3A **14**
Heights, The. *H'frth* —5G **63**
Helene Ct. *Hud* —5A **20**

Helen St. *Hud* —1G **45**
Helen Ter. *Brigh* —3H **9**
Helme. *Mel* —2D **52**
Helme La. *Mel* —3D **52**
Helmet La. *Mel* —5D **52**
Helm La. *Hud* —3A **24**
Helted Way. *Alm* —1G **47**
Henley Av. *Dew* —6F **27**
Henley Croft. *Hud* —4E **35**
Henley Rd. *Dew* —6G **27**
Henrietta St. *Bat* —1E **15**
Henry Frederick Av. *Hud* —5E **45**
Henry Ralph Av. *Hud* —3E **45**
Henry St. *Bat* —4E **15**
Henry St. *Brigh* —2A **10**
Henry St. *Hud* —4A **34**
Hepworth Clo. *Mir* —2F **25**
Hepworth Cres. *N Mill* —6A **64**
Hepworth Dri. *Mir* —2G **25**
Hepworth La. *Mir* —2F **25**
Hepworth Rd. *N Mill* —5A **64**
Heritage Rd. *Bat* —2E **15**
Hermitage Pk. *Fen B* —2C **48**
Hexham Grn. *Hud* —5B **32**
Hey Beck La. *Wake* —1C **16**
Heycliffe Rd. *H'frth* —3F **63**
Hey Cres. *Mel* —4D **52**
Hey La. *Hud* —5B **46**
Hey La. *Lower* —1D **46**
Hey La. *Slnd* —3A **30**
Hey Moor La. *Shel* —4A **58**
Heyroyd La. *Slai* —5C **42**
Heys Gdns. *Thon* —6F **55**
Hey Slack La. *Cumb* —6E **65**
Heys La. *Slai* —2B **42**
Heys Rd. *Thon* —6G **55**
Hey St. *Brigh* —2B **10**
Hick La. *Bat* —1F **15**
Higgin La. *Hal* —1A **8**
High Ash Av. *Clay W* —4E **61**
Highbridge La. *Skelm* —5A **60**
High Brooms. *Hud* —1G **33**
Highbury Ter. *Dew* —6F **15**
Highcliffe Av. *Hud* —6H **21**
Highcliffe Rd. *Bat* —3E **15**
High Clo. *Hud* —1E **47**
High Clo. *Lint* —4A **44**
High Clo. *Oss* —5D **16**
High Crest. *Lint* —2A **44**
Highcroft. *Bat* —3E **15**
(off Highcliffe Rd.)
Highcroft. *H'frth* —3C **62**
High Croft Cres. *Hud* —1F **47**
Highdale. *Dew* —4G **15**
Highfield Av. *Birds* —4A **66**
Highfield Av. *G'lnd* —1F **19**
Highfield Av. *Mel* —3D **52**
Highfield Ct. *Shep* —2G **65**
Highfield Cres. *Mel* —3D **52**
Highfield Cres. *Ove* —4H **39**
Highfield Dri. *Birs* —2A **6**
Highfield Dri. *Liv* —2C **12**
Highfield Gdns. *Dew* —5F **27**
Highfield Gro. *Ell* —6A **8**
Highfield La. *Dew* —3B **14**
Highfield La. *Hud & Lep*
—5A **36**
Highfield La. *Mel* —3C **52**
Highfield Mt. *Dew* —1G **39**
Highfield Rd. *Brigh* —6G **9**
Highfield Rd. *Cleck* —5A **4**
Highfield Rd. *Ell* —2B **20**
Highfield Rd. *Kbtn* —5C **48**
Highfield Rd. *Mel* —3D **52**
Highfield Rd. *Slai* —1D **42**
Highfields. *Hud* —3H **33**

Highfields Ct. *Hud* —3H **33**
(off Highfield Rd.)
Highfields Rd. *Hud* —3H **33**
Highfield Ter. *Dew* —5F **27**
High Ga. *H'frth* —6F **63**
Highgate Av. *Lep* —1D **48**
Highgate Cres. *Lep* —1C **48**
Highgate Dri. *Lep* —1D **48**
Highgate La. *Lep* —1C **48**
Highgate La. *Mir* —6B **24**
Highgate Rd. *Dew* —6F **15**
(in two parts)
Highgate St. *Bat* —3H **15**
Highgate Ter. *Dew* —6F **15**
(off Highgate Rd.)
Highgate Ter. *Lep* —1D **48**
(off Highgate Av.)
Highgate Wlk. *Lep* —1D **48**
High Grn. Ct. Kbtn —6A **48**
(off Storthes Hall La.)
High Gro. La. *Hal* —1A **8**
High Ho. Edge. *Lint* —5G **43**
High Ho. La. *Slai* —5F **43**
High Hoyland La. *H Hoy* —6F **61**
Highlands Av. *Hud* —1F **47**
Highlands, The. *Liv* —1B **12**
High La. *H'frth* —5G **63**
High La. *Hud* —2B **46**
High Lea. *Mars* —4F **41**
Highley Hall Croft. *Clif* —3D **10**
Highley Pk. *Clif* —4E **11**
High Meadows. *G'lnd* —1G **19**
High Meadows. *Thorn* —1E **39**
Highmoor Cres. *Brigh* —3D **10**
High Moor End Rd. *Mel* —5A **52**
Highmoor La. *Brigh* —3D **10**
High Moor La. *Shep* —6A **58**
High Rd. *Dew* —1G **27**
Highroyd. *Lep* —1C **48**
Highroyd Cres. *Hud* —5D **34**
Highroyd La. *Hud* —4D **34**
High St. Birstall, *Birs* —3A **6**
High St. Brighouse, *Brigh*
—3A **10**
High St. Clayton West, *Clay W*
—4D **60**
High St. Cleckheaton, *Cleck*
—4B **4**
High St. Dewsbury, *Dew* —1H **27**
High St. Golcar, *Gol* —5F **31**
High St. Greetland, *G'lnd* —2H **19**
High St. Hanging Heaton, *Hang H*
—3G **15**
High St. Heckmondwike, *Heck*
—3H **13**
High St. Honley, *Hon* —2D **54**
High St. Huddersfield, *Hud*
—5A **34**
High St. Morley, *Morl* —2H **7**
High St. Ossett, *Oss* —5C **16**
High St. Paddock, *Pad* —5G **33**
High St. Stainland, *Slnd* —5C **18**
High St. Thornhill, *Thorn* —1E **39**
High St. West Town, *Wtwn*
—1D **26**
Hightown La. *H'frth* —3E **63**
Hightown Rd. *Cleck & Liv* —5B **4**
Hightown View. *Liv* —1B **12**
High Trees La. *G'lnd* —2C **18**
High Wood La. *Kbtn* —1B **58**
Highwood Path. *Slai* —2E **43**
Hilberoyd Rd. *Bat* —2F **15**
Hilda St. *Oss* —4E **29**
Hill. *H'frth* —3D **62**
Hillary St. *Dew* —3B **14**
Hill Clo. *Hud* —1B **32**

Hill Cres. *Birs* —2C **6**
Hill Cres. *Hal* —1B **8**
Hillcrest Av. *Bat* —1C **14**
Hillcrest Av. *Oss* —6C **16**
Hillcrest Rd. *Dew* —3E **27**
Hill End. *Dew* —6G **15**
Hillesley Rd. *Dew* —3A **16**
Hill Forest Way. *Bat* —2H **15**
Hillgarth. *Dew* —5F **27**
Hill Gro. *Hud* —1B **32**
Hill Gro. Lea. *Hud* —1B **32**
Hillhead Dri. *Bat* —3B **6**
Hill Ho. La. *H'frth* —6B **62**
Hillhouse La. *Hud* —2A **34**
Hill Ho. Rd. *H'frth* —6C **62**
Hill La. *H'frth* —3C **62**
(in two parts)
Hillside. *Den D* —2F **67**
Hillside Av. *Hud* —6B **22**
Hill Side Av. *N Mill* —6A **64**
Hillside Cres. *Hud* —2B **46**
Hill Side Rise. *Liv* —3E **13**
Hillside View. *Lint* —3H **43**
Hillside Works Ind. Est. *Cleck*
—2B **4**
Hill St. *Cleck* —5A **4**
Hill St. *N Mill* —5A **64**
Hill Top Clo. *Ting* —1E **17**
Hill Top Ct. *Ting* —1E **17**
Hill Top Cres. *Mir* —1D **36**
Hill Top Croft. *Neth* —6B **62**
Hill Top Dri. *Hud* —2C **32**
Hill Top Est. *Heck* —3A **14**
Hill Top Fold. Slai —3D **42**
(off Meal Hill La.)
Hill Top Grn. *Ting* —1D **16**
Hill Top Gro. *Ting* —1E **17**
Hill Top La. *Ting* —1D **16**
Hill Top Rd. *Floc* —1F **51**
Hill Top Rd. *H'frth* —6D **62**
Hill Top Rd. *Mold* —4D **34**
Hill Top Rd. *Pad* —5G **33**
Hill Top Rd. *Sal N* —2B **32**
Hill Top Rd. *Slai* —3D **42**
Hill Top View. *Ting* —1D **16**
Hinchcliffe Av. *Oss* —3F **29**
Hind Ct. *Mel* —3C **52**
Hindley Rd. *Liv* —3E **13**
Hirst Av. *Heck* —1H **13**
Hirstlands Av. *Oss* —6C **16**
Hirstlands Dri. *Oss* —6C **16**
Hirst La. *Cumb* —4D **64**
Hirst Rd. *Dew* —5E **15**
Hirst St. *Mir* —5E **25**
Hobart Rd. *Dew* —5H **15**
Hob La. *Hud* —2D **44**
Hodgson Ter. *Dew* —2F **27**
Hoffman St. *Hud* —6C **32**
Hogley La. *H'frth* —4A **62**
Holays. *Hud* —3E **35**
Holby Sq. *Wake* —4H **29**
Holden Ing Way. *Bat* —1C **6**
Holdsworth Av. *Heck* —5A **6**
Holdsworth Ct. *Cleck* —5B **4**
Holdsworth St. *Cleck* —4B **4**
Holland St. *Bat* —1F **15**
Hollin Av. *Hud* —3F **33**
Hollinbank La. *Heck* —1A **14**
Hollin Brigg La. *H'frth* —6A **62**
Hollin Edge. *Den D* —2G **67**
Hollin Hall La. *Gol* —5G **31**
Hollin Hall La. *Hud* —6A **34**
Hollin Ho. La. *Clay W* —6D **60**
Hollin Ho. La. *N Mill* —3B **64**
Hollinroyd Rd. *Dew* —6G **15**
Hollins Av. *Dew* —3B **14**

Hollins Glen. *Slai* —4E **43**
Hollins Hey Rd. *Ell* —4H **19**
Hollins La. *Slai* —6B **42**
Hollins Rd. *Dew* —4B **14**
Hollins Row. *Slai* —4E **43**
Hollin Ter. *Hud* —3E **33**
Hollow Ga. *H'frth* —3E **63**
Hollow, The. *Mel* —4C **52**
Hollybank Av. *Bat* —5E **7**
Hollybank Av. *Up Cum* —2C **66**
Hollybank Ct. *Quar* —3C **32**
Holly Bank Ho. Brigh —6H **9**
(off Field La.)
Holly Bank Pk. *Brigh* —6H **9**
Holly Bank Rd. *Brigh* —6G **9**
Holly Bank Rd. *Hud* —1D **32**
Holly Ct. *Ting* —1E **17**
Hollyfield Av. *Hud* —3C **32**
Holly Gro. *Bat* —2D **14**
Holly Gro. *Lind* —1E **33**
Hollynsmill. *G'lnd* —1H **19**
Hollyns Ter. *G'lnd* —1H **19**
Holly Rd. *Hud* —6G **33**
Holmcliffe Av. *Hud* —3H **45**
Holmclose. *H'frth* —6A **62**
Holmdale Cres. *H'frth* —6D **54**
Holmdene Dri. *Mir* —2E **25**
Holme Av. *Hud* —5E **35**
Holme Clo. *Grng M* —5A **38**
Holme Ct. *N Mill* —1A **64**
Holme Field. *Oss* —1C **28**
Holme Ho. La. *N Mill* —3C **64**
Holme La. *N Mill* —1A **64**
Holme La. *Slai* —4A **42**
Holme Leas Dri. *Oss* —1C **28**
Holme Pk. Ct. *Hud* —5H **45**
Holme Pl. *Mar* —3F **33**
Holmeside Clo. *Hud* —4G **45**
Holme St. *Liv* —2F **13**
Holme View Av. *H'frth* —3B **62**
Holme View Dri. *H'frth* —3B **62**
Holme View Pk. *H'frth* —3C **62**
Holme Vs. *Mars* —4A **42**
Holme Way. *Oss* —1C **28**
Holmfield. *Clay W* —4D **60**
Holmfield Av. *Clay W* —4D **60**
Holmfield Clo. *Clay W* —4D **60**
Holmfield Dri. *Gol* —6B **32**
Holmfield Rd. *Clay W* —4D **60**
Holmfield Rd. *Hud* —4H **31**
Holmfield Ter. Clay W —4D **60**
(off Holmfield Rd.)
Holmfirth Rd. *Mel* —5E **53**
Holmfirth Rd. *N Mill* —1H **63**
Holroyd Sq. Holy G —4D **18**
(off Stainland Rd.)
Holt Av. *Hud* —5C **22**
Holt Head Rd. *Slai* —1A **52**
Holt La. *H'frth* —2E **63**
Holts Ter. *Hal* —2A **8**
Holyoake Av. *Bat* —1C **14**
Holyoake Av. *Lint* —4G **43**
Holyoake Ter. *Lint* —3G **43**
Homestead, The. *Heck* —2A **14**
Honley Ho. Horb —6G **29**
(off Honley Sq.)
Honley La. *Hud* —6C **46**
Honley Sq. *Horb* —6G **29**
Honoria St. *Hud* —1A **34**
Hoods, The. *Brigh* —1H **21**
Hood St. *Ber B* —4H **45**
Hope St. *Dew* —5E **15**
Hope St. *Hud* —6A **34**
Hope St. *Milns* —5D **32**
Hope St. *Oss* —5F **29**
Hope Ter. *Gol* —1H **43**

Hopewell St. *Bat* —6D **6**
Hopkinson Rd. *Hud* —4B **22**
Hopton Av. *Mir* —6C **24**
Hopton Dri. *Mir* —6C **24**
Hopton Hall La. *Mir* —2D **36**
Hopton La. *Mir* —6C **24**
Hopton New Rd. *Mir* —5E **25**
Horace Waller V.C. Pde. *Dew*
—4H **15**
Horbury M. *Horb* —6F **29**
Horbury Rd. *Oss* —5E **29**
Horncastle St. *Cleck* —5C **4**
Horn Cote Clo. *N Mill* —1C **64**
Horn Cote La. *N Mill* —2C **64**
Horner Av. *Bat* —6B **6**
Horner Cres. *Bat* —6B **6**
Horn La. *N Mill* —2B **64**
Horse Bank Dri. *Lock* —2F **45**
Horse Croft La. *Shel* —3B **58**
Horse Pond La. *Hud* —3E **31**
Horton St. *Heck* —3H **13**
Horton St. *Oss* —2C **28**
Hostingley La. *Dew & M'twn*
—6H **27**
Houghton Bungalows. *Hud*
—1F **47**
Houghton St. *Brigh* —3B **10**
Hoults La. *G'lnd* —1F **19**
House Gro. Dri. *Clay W* —4C **60**
Howard Av. *Hud* —2E **33**
Howard Pk. *Cleck* —5C **4**
Howard Pl. *Bat* —3E **15**
Howard Rd. *Hud* —2E **33**
Howard St. *Bat* —3E **15**
Howard St. *Oss* —1D **28**
Howard Way. *Mel* —5E **53**
Howarth La. *Hud* —1G **45**
Howden Clo. *Cow* —2B **44**
Howden Clough Ind. Est. *Bat*
—1E **7**
Howden Clough Rd. *Morl* —1E **7**
Howden Way. *Morl* —1F **7**
Howgate Ho. *Dew* —6E **15**
(off Wellington Rd.)
Howgate Rd. *Slai* —4D **42**
Howley Mill La. *Bat* —5F **7**
Howley Pk. Clo. *Morl* —2H **7**
Howley Pk. Rd. *Morl* —3H **7**
Howley Pk. Rd. E. *Morl* —3H **7**
Howley Pk. Ter. *Morl* —2H **7**
Howley Pk. Trading Est. *Morl*
—2H **7**
Howley St. *Bat* —6F **7**
Howley Wlk. *Bat* —6F **7**
Howroyd La. *Bklnd* —4A **18**
Howroyd La. *W'ley* —2A **38**
Hoylake Av. *Hud* —5H **15**
Hoyle Ho. Fold. *Lint* —3H **43**
Hoyle Ing. *Lint* —3H **43**
Hubert St. *Hud* —1A **32**
Huck Hill La. *Mars* —2E **41**
Huddersfield Rd. *Brigh* —1B **22**
Huddersfield Rd. *Ell* —4C **20**
Huddersfield Rd. *Hal* —3A **8**
Huddersfield Rd. *Heck & Bat*
—5A **6**
Huddersfield Rd. *H'frth* —3E **63**
Huddersfield Rd. *Hon* —1E **55**
Huddersfield Rd. *Hud* —5C **20**
Huddersfield Rd. *Kbtn* —1H **57**
Huddersfield Rd. *Liv* —5E **13**
Huddersfield Rd. *Mel* —4E **53**
Huddersfield Rd. *Mir* —1A **24**
Huddersfield Rd. *N Mill* —1H **63**
Huddersfield Rd. *Raven* —3A **26**
Huddleston Ct. *Dew* —6H **15**

Hudroyd. *Hud* —1F **47**
Hulbert Croft. *Hud* —6F **35**
Hullenedge Gdns. *Ell* —2H **19**
Hullenedge La. *Ell* —2G **19**
Hullenedge Rd. *Ell* —2H **19**
Hullen Rd. *Ell* —2H **19**
Humber Clo. *Lint* —3H **43**
Hume Crest. *Bat* —1E **15**
Hungerford Rd. *Hud* —2F **33**
Hunston Av. *Hud* —3D **32**
Hunsworth La. *Cleck* —3B **4**
Huntingdon Av. *Hud* —3F **23**
Huntingdon Rd. *Brigh* —5C **10**
Huntock Pl. *Brigh* —1H **9**
Huntsmans Clo. *Hud* —4F **45**
Hurst Knowle. *Hud* —6G **35**
Hurst La. *Mir* —5F **25**
Hurstwood. *Hud* —4E **23**
Hustings, The. *Liv* —2D **12**
Hutchinson La. *Brigh* —4B **10**
Hutton Dri. *Heck* —2A **14**
Hyrst Garth. *Bat* —3D **14**
Hyrstlands Rd. *Bat* —3D **14**
Hyrst Wlk. *Bat* —3E **15**

*I*bbotson Flats. *Hud* —4B **34**
(off Leeds Rd.)
Illingworth St. *Oss* —3D **28**
Imperial Rd. *Hud* —3F **33**
Industrial Av. *Birs* —3H **5**
Industrial St. *Brigh* —3B **10**
Industrial St. *Hud* —1A **46**
Industrial St. *Liv* —2C **12**
Industrial Ter. *Hud* —5G **35**
Infirmary Rd. *Dew* —5D **14**
Ingdale Dri. *H'frth* —2F **63**
Ingfield Av. *Hud* —4D **34**
Ingfield Av. *Oss* —2E **29**
Ingham Clo. *Mir* —3G **25**
Ingham Croft. *Mir* —4G **25**
Ingham Garth. *Mir* —3G **25**
Ingham Rd. *Dew* —5E **27**
Ing Head. *Lint* —3C **42**
Ing Head La. *Hud* —4C **56**
Ing La. *Hud* —2A **46**
(in two parts)
Ing La. *Slai* —4B **42**
Ingle Ct. *Fen B* —6B **36**
Ingleton Rd. *Hud* —2B **46**
Inglewood Av. *Hud* —1E **33**
Ings Cres. *Dew* —6E **27**
Ings Cres. *Liv* —2F **13**
Ings Grange. *Liv* —1F **13**
(off Ings Rd.)
Ings La. *Dew* —6E **27**
Ings Mill Av. *Clay W* —3D **60**
Ings Mill Dri. *Clay W* —3D **60**
Ings Rd. *Bat* —6C **6**
Ings Rd. *Dew* —5G **15**
Ings Rd. *Heck* —2H **13**
Ings Rd. *Hud* —6G **35**
Ings Rd. *Liv* —1F **13**
Ings, The. *Clay W* —4D **60**
Ings Villa. *Liv* —4G **13**
Ings Way. *Lep* —1C **48**
Ings Way W. *Lep* —1C **48**
Ingwell Ter. *Cleck* —5C **4**
Inkerman Ct. *Den D* —3G **67**
Inkerman Way. *Den D* —3F **67**
Inner Hey. *Mars* —4G **41**
Intake. *Gol* —5A **32**
Intake La. *Bat* —4B **6**
Intake La. *Cumb* —4D **64**
Intake La. *Hud* —5B **44**
Intake La. *Mel* —2A **52**

Intake La. *Oss* —3E **29**
Intake Rd. *Slai* —2A **42**
Iron St. *Wgte* —5A **4**
Island Dri. *Broc* —4G **55**
Island View. *Dew* —2D **26**
Ivy Mt. *Hal* —4A **8**
Ivy Mt. *Slai* —3D **42**
Ivy St. *Brigh* —3H **9**
Ivy St. *Cros M* —6E **33**
Ivy St. *Mold* —5C **34**
Ivy Ter. Brigh —3H **9**
(off Ivy St.)
Ivy Ter. *Horb* —6G **29**

*J*acinth Ct. *Far* —6C **22**
Jack Hill. *Hud* —1A **34**
Jack La. *Bat* —4F **15**
Jackroyd La. *Hud* —2A **46**
Jackroyd La. *Mir* —6C **24**
Jackson's La. *Dew* —1C **38**
Jacob's Row. *Hud* —1H **45**
Jade Pl. *Far* —1C **34**
Jaggar La. *Hud* —2G **35**
Jagger Grn. Dean. *Holy G* —5F **19**
Jagger Grn. La. *Holy G* —6F **19**
Jagger La. *Eml* —6H **49**
Jagger La. *Hon* —2D **54**
Jail Rd. *Bat* —1B **14**
James La. *Hud* —6C **44**
James St. *Bat* —2D **14**
James St. *Brigh* —2A **10**
James St. *Dew* —5D **14**
James St. *Ell* —2B **20**
James St. *Gol* —6H **31**
James St. *Holy G* —4F **19**
James St. *Liv* —2E **13**
(Halifax Rd.)
James St. *Liv* —3F **13**
(Union Rd.)
James St. *Mir* —1E **25**
James St. *Slai* —3E **43**
Jason Ter. *Birs* —2C **6**
Jay Ho. La. *Brigh* —1C **10**
Jebb La. *Haig* —3H **61**
Jenkin La. *Horb* —6F **29**
Jenkinson Ct. *Kbtn* —6A **48**
Jenkinson St. *Bat* —4E **15**
Jenkyn La. *Shep* —6F **57**
Jenny La. *Mir* —1F **25**
Jenson Av. *Dew* —3B **14**
Jepson La. *Ell* —2B **20**
Jeremy La. *Heck* —2G **13**
Jersey Clo. *Dew* —4H **15**
Jerusalem Rd. *Slai* —6F **43**
Jesmond Gro. *Dew* —5D **14**
Jessamine St. *Dew* —3H **25**
Jessop Av. *Hud* —1G **47**
Jessop Fold. *Hon* —1D **54**
Jewett Ter. *Morl* —2H **7**
Jilley Royd La. *Hud* —4A **22**
(in two parts)
Jill La. *Mir* —1G **25**
Jim La. *Hud* —4F **33**
Joan Royd. *Heck* —6H **5**
John Booth Clo. *Liv* —4D **12**
John Carr Av. *Horb* —6G **29**
John Haigh Rd. *Slai* —4E **43**
John Nelson Clo. *Bat* —3B **6**
John Ramsden Ct. Hud —5B **34**
(off Wakefield Rd.)
Johns La. *Hud* —4A **22**
Johnson St. *Mir* —5E **25**
John St. *Birs* —3A **6**
John St. *Brigh* —3A **10**
John St. *Dew* —4E **15**

John St. *Eastb* —5G **15**
John St. *Ell* —2B **20**
John St. *G'lnd* —1G **19**
John St. *Heck* —3H **13**
John St. *Hud* —6D **32**
John St. *Raven* —3A **26**
John William St. *Cleck* —4B **4**
John William St. *Ell* —2B **20**
John William St. *Flush* —2G **13**
John William St. *Hud* —3A **34**
John William St. *Liv* —3F **13**
Jordan Beck. *Birds* —4A **66**
Josephine Rd. *Hud* —1C **44**
Jos La. *Shep* —5G **57**
Jos Way. *Shep* —6G **57**
Jubilee Av. *Shel* —4A **58**
Jubilee La. *Hud* —1C **44**
Jubilee Mt. *Brigh* —4H **9**
Jubilee Rd. *Hal* —4A **8**
Jubilee St. *Hal* —1A **8**
Judy Haigh La. *Dew* —2F **39**
Judy La. *Fix* —5B **22**
Julian St. *Hud* —5E **35**
Jumble Dyke. *Brigh* —6H **9**
Jumble Wood. *Fen B* —1B **48**
Junction La. *Oss* —4G **29**
(in two parts)
Junction Rd. *Dew* —1D **26**
Juniper Gro. *Neth* —6F **45**
Juniper Gro. M. *Neth* —6F **45**
Justin Way. *H'frth* —4C **44**

*K*affir Rd. *Hud* —2F **33**
Kashmir Ct. Raven —3A **26**
(off Church St.)
Kaye La. *Hud* —2D **46**
Kaye La. *Lint* —2A **44**
Kaye St. *Dew* —2F **27**
Kaye St. *Heck* —3H **13**
Keats Dri. *Heck* —4A **14**
Keat St. *Hud* —6G **33**
Kebble Ct. *Gom* —5F **5**
Keir Hardie Clo. *Liv* —2F **13**
Keldregate. *Hud* —5E **23**
Kelloe St. *Cleck* —3B **4**
Kelso Gro. *Hud* —4G **35**
Kelvin Av. *Hud* —4E **35**
Kelvin Rd. *Ell* —2A **20**
Kemps Way. *N Mill* —5A **64**
Ken Churchill Dri. *Horb* —6G **29**
Kenmore Av. *Cleck* —4A **4**
Kenmore Clo. *Cleck* —4A **4**
Kenmore Cres. *Cleck* —4A **4**
Kenmore Dri. *Cleck* —4A **4**
Kenmore Gro. *Cleck* —4A **4**
Kenmore Rd. *Cleck* —4A **4**
Kenmore View. *Cleck* —4A **4**
Kenmore Way. *Cleck* —4A **4**
Kennedy Av. *Hud* —4A **22**
Kennedy Clo. *Dew* —3H **15**
Kensington Clo. *Bat* —2D **14**
Kensington Gdns. *Ell* —2A **20**
Kent Wlk. *Dew* —6D **14**
Kertland St. *Dew* —1E **27**
Kester Rd. *Bat* —1B **14**
Kestrel Bank. *Hud* —5G **45**
Kestrel View. *Cleck* —3B **4**
Keswick Clo. *Sid* —2A **8**
Kettle La. *Mars* —2H **41**
Kettleton Chase. *Oss* —5C **16**
Kew Hill. *Hud* —5B **20**
Kidroyd. *Hud* —6C **34**
Kilburn Clo. *Alm* —5C **34**
Kilburn La. *Dew* —1E **27**
Kiln Brow. *Gol* —6A **32**

Kiln Ct. *Hud* —1A **32**
Kiln Croft. *Holy G* —5D **18**
　(off Stainland Rd.)
Kilner Bank. *Hud* —3C **34**
Kiln Fold. *Brigh* —3D **10**
Kiln Hill. *Slai* —4E **43**
Kiln Hill Ind. Est. *Slai* —4E **43**
　(off Kiln Hill)
Kiln La. *Clay W* —1C **60**
Kiln La. *Dew* —6F **15**
Kilnsey Hill. *Bat* —4F **15**
Kilpin Hill La. *Dew* —3B **14**
Kilroyd Av. *Cleck* —2B **4**
Kilroyd Dri. *Cleck* —2C **4**
Kimberley St. *Brigh* —3B **10**
Kimberley St. *Dew* —4D **26**
Kinder Av. *Cow* —2B **44**
King Cliffe Flats. *Hud* —2A **34**
King Cliff Rd. *Hud* —1A **34**
King Edward St. *Dew* —5D **26**
Kingfisher Gro. *Neth* —5G **45**
King's Bri. Rd. *Hud* —6B **34**
Kings Clo. *Oss* —1C **28**
Kings Ct. *Birs* —3A **6**
Kings Croft. *Oss* —6C **16**
King's Dri. *Birs* —2A **6**
Kings Head Dri. *Mir* —2D **24**
Kings Head Rd. *Mir* —2D **24**
Kings Lea. *Liv* —4G **13**
Kings Lea. *Oss* —6C **16**
Kingsley Av. *Hud* —6G **33**
Kingsmead. *Oss* —6C **16**
Kings Meadow. *Oss* —1C **28**
King's Mill La. *Hud* —6B **34**
Kings Paddock. *Oss* —1C **28**
Kingston Av. *Hud* —4E **35**
King St. *Brigh* —4B **10**
King St. *Cleck* —5C **4**
King St. *Ell* —2C **20**
　(off Brook St.)
King St. *Heck* —2H **13**
King St. *Hud* —4B **34**
King St. *Lind* —2E **33**
King St. *Mir* —4E **25**
King St. *Oss* —4E **29**
King St. *Skelm* —4G **59**
Kings View. *Hal* —2C **8**
Kingsway. *Birs* —2A **6**
Kingsway. *Oss* —6C **16**
Kingsway Arc. *Dew* —6F **15**
　(off Northgate)
Kingsway Clo. *Oss* —1C **28**
Kingsway Ct. *Oss* —1C **28**
　(Kingsway Clo.)
Kinnaird Clo. *Bat* —1H **15**
Kinnaird Clo. *Ell* —6B **8**
Kinroyd La. *Hud* —1F **45**
Kipling Clo. *Hud* —1F **45**
Kirby Row. *Hud* —1A **36**
Kirk Bri. La. *N Mill* —1H **63**
Kirkby La. *Eml* —4D **50**
Kirk Clo. *Dew* —6B **16**
Kirkgate. *Bat* —3G **15**
Kirkgate. *Birs* —3H **5**
Kirkgate. *Hud* —4B **34**
Kirkham Av. *K'gte* —3H **17**
Kirklands. *Liv* —2E **13**
Kirklands. *N Mill* —1H **63**
Kirklea. *Shel* —3C **58**
Kirk Lea Cres. *Hud* —1E **33**
Kirklees Way. *Brigh* —3G **21**
Kirklees Way. *Floc* —5D **38**
Kirklees Way. *Hud* —6E **21**
　(Burn Rd.)
Kirklees Way. *Hud* —4G **21**
　(Cote La.)

Kirklees Way. *Hud* —2C **22**
　(Shepherds Thorn La.)
Kirklees Way. *Up Cum* —6C **58**
Kirkroyds La. *H'frth* —1G **63**
Kirkstone Av. *Hud* —4C **34**
Kirkstone Dri. *Gom* —4F **5**
Kirkwood Dri. *Hud* —2C **32**
Kirkwood Grn. *Hud* —2D **32**
Kistyaen Gdns. *Mel* —3C **52**
Kitchen Fold. *Slai* —4E **43**
Kitson Hill Cres. *Mir* —1D **24**
Kitson Hill Rd. *Mir* —2C **24**
Knaresborough Dri. *Hud*
　—6A **22**
Knight St. *Hud* —3B **34**
Knoll Clo. *Oss* —1D **28**
Knoll La. *H'frth* —6B **54**
Knotty La. *Lep* —1D **48**
Knowle Av. *Hud* —5E **35**
Knowle La. *Mel* —4F **53**
Knowle Pk. Av. *Shep* —6H **57**
Knowler Clo. *Liv* —1E **13**
Knowler Hill. *Liv* —2E **13**
Knowle Rd. *Slai* —3E **43**
Knowler Way. *Liv* —1E **13**
Knowles Croft. *Dew* —4B **14**
　(off Staincliffe Rd.)
Knowles Hill. *Dew* —4B **14**
Knowles Hill Rd. *Dew* —5B **14**
Knowles La. *Bat* —2D **14**
Knowles La. *Gom* —1F **5**
Knowles Rd. *Bat* —2D **14**
Knowles Rd. *Brigh* —6A **10**
Knowle, The. *Shep* —6H **57**
Knowle Top. *Holy G* —6E **19**
Knowl Grange. *Hud* —3E **25**
Knowl Rd. *Gol* —6H **31**
Knowl Rd. *Mir* —2D **24**
Knowl, The. *Mir* —3D **24**
Krives La. *Slai* —6C **42**

Laburnum Gro. *Gol* —5B **32**
Laburnum Gro. *Gom* —3E **5**
Laburnum Gro. *Skelm* —5G **59**
Laburnum Rd. *Dew* —4A **14**
Lacey St. *Dew* —6D **14**
Lacy Way. *Lfds B* —6C **8**
Lady Ann Rd. *Bat* —1F **15**
Ladybower Av. *Cow* —2B **44**
Lady Clo. *Oss* —6C **16**
Lady Heton Av. *Mir* —2D **24**
Lady Heton Clo. *Mir* —2C **24**
Lady Heton Dri. *Mir* —2C **24**
Lady Heton Gro. *Mir* —2C **24**
Lady Ho. La. *Hud* —4H **45**
Ladywell La. *Liv* —3H **11**
Ladywood Rd. *Dew* —2C **26**
Ladywood Way. *Rav I* —4A **26**
Laithe Av. *H'frth* —6A **62**
Laithe Bank Dri. *H'frth* —6A **62**
Laithecroft Rd. *Bat* —1G **15**
Laithes Croft. *Dew* —2G **27**
Lakeside. *Mars* —4G **41**
Lakeside Ct. *Hud* —2D **32**
Lake View. *Arm B* —4G **45**
Lamb Cote Rd. *Hud* —2D **22**
Lambert Clo. *G'Ind* —1H **19**
Lambert St. *G'Ind* —1H **19**
Lamb Hall Rd. *Hud* —2H **31**
Lamma Well Rd. *H'frth* —6E **63**
Lamplands. *Bat* —5F **7**
Lancaster Cres. *Hud* —6F **35**
Lancaster La. *H'frth* —5G **55**
Lands Beck Way. *Liv* —2D **12**

Lane and Dowry Rd. *Slai* —6C **42**
Lane Ct. *Brigh* —3B **10**
　(off Old La.)
Lane Hackings. *Lwr C* —1E **67**
Lane Hackings Grn. *Lwr C*
　—1E **67**
Lane Head La. *Kbtn* —6D **48**
La. Head Rd. *Shep* —6G **57**
Lane Ings. *Mars* —4G **41**
Laneside. *Holy G* —4F **19**
Lane Side. *Hud* —3A **36**
Laneside. *Kbtn* —6E **49**
Lane Top. Lint —3A **44**
　(off Royd Ho. La.)
Langdale Dri. *Hud* —4C **34**
Langdale Rd. *Dew* —4H **15**
Langdale St. *Ell* —2B **20**
Langley La. *Clay W* —3C **60**
Langley Ter. *Hud* —2C **32**
Langsett Croft. *Hud* —3E **23**
Langton Clo. *Gom* —2F **5**
Lansdowne Clo. *Bat* —6D **6**
Larch Av. *H'frth* —6G **55**
Larch Clo. *Birs* —2C **6**
Larch Clo. *Hud* —1H **35**
Larch Clo. *Liv* —3G **13**
Larch Dale. *Hud* —4A **22**
Larch Rd. *Hud* —5E **33**
Lark Hill. *Bat* —3C **6**
Lascelles Hall Rd. *Hud* —4A **36**
Lascelles Rd. *Heck* —3A **14**
Latham Ct. *Gom* —2F **5**
Latham La. *Gom* —1E **5**
Latham Lea. *Gom* —2E **5**
Laund Rd. *Hud* —6A **20**
Laund Rd. *Slai* —2A **42**
Laura St. *Brigh* —5A **10**
Laurel Clo. *Ell* —2A **20**
Laurel Ct. *Hud* —6A **34**
　(off Industrial St.)
Laurel Ct. *Oss* —2C **28**
Laurel Dri. *Bat* —5C **6**
Laurel Gro. *Bat* —5B **6**
Laurel Mt. *Heck* —2H **13**
Laurels, The. *Dew* —1H **27**
Laurel Ter. *Holy G* —4D **18**
Lavender Ct. *Neth* —6F **45**
Lavender Croft. *Heck* —2A **14**
Laverhills. *Liv* —1B **12**
Laverock Cres. *Brigh* —1H **9**
Laverock La. *Brigh* —1H **9**
Laverock Pl. *Brigh* —1H **9**
　(off Huntock Pl.)
Law La. *Hal* —1B **8**
Lawns, The. *Ove* —4H **39**
Lawrence Cres. *Heck* —6H **5**
Lawrence Rd. *Hud* —3G **33**
Lawson Rd. *Brigh* —4B **10**
Law St. *Bat* —4B **6**
Law St. *Cleck* —3B **4**
Lawton St. *Hud* —1A **46**
Laycock Ct. *Kbtn* —6A **48**
Laygarth Dri. *Hud* —4A **36**
Lea Clo. *Brigh* —2A **10**
Lea Dri. *Shep* —6G **57**
Leafield Av. *Hud* —4A **32**
Leafield Bank. *Hud* —4A **32**
Leafield Clo. *Hud* —4D **22**
Lea Gdns. *H'frth* —4A **64**
Leak Hall La. *Den D* —2F **67**
Leak Hall Rd. *Den D* —2F **67**
Lea La. *Hud* —6E **45**
Leamington Ter. *Dew* —2F **27**
Lea Rise. *Hon* —3D **54**
Lea Rd. *Bat* —5B **6**
Learoyd St. *Hud* —3B **34**

Leas Av. *H'frth* —1D **62**
Lea Side Gdns. *Hud* —4A **32**
Lea St. *Hill* —2A **34**
　(in two parts)
Lea St. *Lind* —1E **33**
Lea View. *Bat* —4B **6**
Lee Ct. *Liv* —1E **13**
Lee Ct. *Oss* —4F **29**
Leeds Old Rd. *Heck & Bat*
　—1G **13**
Leeds Rd. *Bat* —3B **6**
Leeds Rd. *Dew* —6F **15**
Leeds Rd. *Hud* —3B **34**
Leeds Rd. *Liv & Heck* —2F **13**
Leeds Rd. *Mir* —1H **23**
Leeds Rd. *Oss* —5B **16**
　(in two parts)
Leefield Rd. *Bat* —6A **6**
Leef St. *Hud* —4D **34**
Lee Grn. *Holy G* —6G **19**
Lee Grn. *Mir* —1E **25**
Lee Head. *Hud* —2H **33**
Leeke Rd. *Horb* —6G **29**
Lee La. *Kbtn* —6C **48**
Lee Mills Ind. Pk. *H'frth* —4G **63**
Lee Rd. *Dew* —3H **25**
Lees Av. *Dew* —4E **27**
Lees Clo. *Hud* —3F **35**
Lees Dri. *Dew* —4E **27**
Lees Hall Rd. *Dew* —4D **26**
Lees Holm. *Dew* —4E **27**
Lees Ho. Rd. *Dew* —3E **27**
Leeside Rd. *Heck & Bat* —6A **6**
Lees Mill La. *Lint* —3G **43**
Lee St. *Brigh* —2A **10**
Lee St. *Dew* —2A **26**
Lee St. *Liv* —1E **13**
Lee Way. *Kbtn* —5C **48**
Leisure La. *Eml* —5G **51**
Leith Ct. *Dew* —1G **39**
Lemans Dri. *Dew* —3B **14**
Le Marchant Av. *Hud* —2E **33**
Lenacre La. *Eml* —3H **49**
Lenham Clo. *Morl* —2H **7**
Leonard St. *Hud* —1B **34**
Leopold St. *Oss* —4G **29**
Lepton La. *Lep* —3D **48**
Lesley Way. *H'frth* —3C **44**
Leslie St. *Hud* —1A **34**
Lewisham Rd. *Slai* —3D **42**
Lewisham St. *Morl* —1G **7**
Leyburn Av. *Heck* —6A **6**
Leyfield Bank. *H'frth* —1G **63**
Leygards La. *Mel* —4B **52**
Leyland Croft. *Hud* —2E **23**
Leyland Rd. *Birs* —3H **5**
Leymoor Rd. *Gol & Hud* —5H **31**
Leys La. *Eml* —6D **50**
Lichfield Rd. *Dew* —6H **15**
Lidgate Clo. *Dew* —4E **15**
Lidgate Gdns. *Dew* —4E **15**
Lidgate La. *Dew* —4E **15**
Lidget St. *Hud* —1D **32**
Lidgett La. *Skelm* —5F **59**
Lidgett Rise. *Skelm* —5F **59**
Lightcliffe Rd. *Brigh* —1A **10**
Lightcliffe Rd. *Hud* —6F **33**
Lightcliffe Royd. *Bklnd* —2A **18**
Lightcliffe Royd La. *Bklnd*
　—2A **18**
Lightenfield La. *Neth* —6E **45**
　(in two parts)
Lightridge Clo. *Hud* —4A **22**
Lightridge Rd. *Hud* —4H **21**
Lilac Clo. *Brigh* —3C **10**
Lilac Gro. *Gom* —3E **5**

Malvern Rise. *Hud* —1A **46**
Malvern Rd. *Dew* —5H **15**
Malvern Rd. *Hud* —6B **34**
Manchester Rd. *Hud* —1B **44**
Manchester Rd. *Slai* —6B **42**
Manchester Rd. *Mars* —4D **40**
Manley St. *Brigh* —3A **10**
Manley St. Pl. *Brigh* —3A **10**
(off Manley St.)
Mannerley Gro. *Cleck* —6F **5**
Mann's Bldgs. *Bat* —2D **6**
Manor Av. *Oss* —5F **29**
Manor Clo. *Oss* —5F **29**
Manor Ct. *Oss* —5F **29**
Manor Dri. *Floc* —1F **51**
Manor Dri. *Mir* —1B **24**
Manor Dri. *Oss* —5F **29**
Manor Dri. *Skelm* —5G **59**
(in two parts)
Manor Farm Dri. *Bat* —6H **7**
Manorfield Dri. *Horb* —6G **29**
Manor Gdns. *Dew* —4A **16**
Manor Garth Rd. *Dew* —1H **27**
Manor Gro. *Oss* —5F **29**
Manor Ho. *Mel M* —4F **53**
Manor Ho. Cvn. Site. *Floc*
—1F **51**
Manor La. *Oss* —5F **29**
Manor Pk. *Mir* —1A **24**
Manor Pk. Gdns. *Gom* —1F **5**
Manor Pk. Way. *Lep* —1B **48**
Manor Pl. *Horb* —6G **29**
Manor Rise. *Hud* —6B **34**
Manor Rise. *Skelm* —5G **59**
Manor Rd. *Bat* —1H **15**
Manor Rd. *Clay W* —2E **61**
Manor Rd. *Dew* —1D **26**
Manor Rd. *Far T* —6F **47**
Manor Rd. *Gol* —6H **31**
Manor Rd. *Horb* —6G **29**
Manor Rd. *Oss* —4E **29**
Manorstead. *Skelm* —5G **59**
Manor St. *Dew* —6F **15**
Manor St. *Hud* —6B **34**
Manor Way. *Bat* —2C **14**
Manse Dri. *Hud* —1C **44**
Mansion Gdns. *Hud* —3H **45**
Maple Av. *Gol* —5B **32**
Maple Clo. *Hud* —1A **36**
Maple Gro. *Gom* —3E **5**
Maple Gro. *Hud* —3A **22**
Maple Rd. *Dew* —1B **28**
Maple St. *Hud* —5C **34**
Maple Wlk. *Dew* —1B **28**
Maplin Av. *Hud* —1B **32**
Maplin Dri. *Hud* —1B **32**
Mapplewell Cres. *Oss* —3E **29**
Mapplewell Dri. *Oss* —3E **29**
Marcus Way. *Hud* —1H **31**
Mardale Rd. *Dew* —4G **15**
Marie Clo. *Hud* —4A **36**
Marina Cres. *Morl* —1H **7**
Marina Ter. *Gol* —5A **32**
Marion St. *Brigh* —2A **10**
Mark Bottoms La. *H'frth* —2D **62**
Market Av. *Hud* —4B **34**
(off Victoria La.)
Market Pl. *Cleck* —5C **4**
(off Albion St.)
Market Pl. *Dew* —6F **15**
Market Pl. *Heck* —3H **13**
Market Pl. *Hud* —4B **34**
Market Pl. *Mars* —4F **41**
Market Pl. *Oss* —3D **28**
Market Pl. *Slai* —4D **42**
Market St. *Birs* —3A **6**

Market St. *Brigh* —4B **10**
Market St. *Cleck* —5C **4**
Market St. *Dew* —6F **15**
Market St. *Heck* —3H **13**
(in two parts)
Market St. *H'frth* —3E **63**
Market St. *Hud* —4A **34**
Market St. *Milns* —5D **32**
Market St. *Pad* —5G **33**
Market Wlk. *Mars* —4F **41**
(off Market Pl.)
Markham St. *Bat* —2D **14**
Mark St. *Hud* —5G **33**
Mark St. *Liv* —2F **13**
Marlbeck Clo. *Hon* —3D **54**
Marlborough Gdns. *Dew* —4D **14**
Marlborough Ho. *Ell* —1B **20**
(off Southgate)
Marlborough Rd. *Hud* —3B **22**
Marlborough St. *Oss* —3C **28**
Marlborough Ter. *Dew* —5D **14**
Marling Rd. *Hud* —5D **20**
Marlo Rd. *Dew* —4A **16**
Marlow Clo. *Hud* —4F **35**
Marsden Ga. *Hud* —4C **30**
Marsden La. *Mars* —4G **41**
Marsden La. *Slai* —2H **41**
Marsden St. *Skelm* —4G **59**
Marsh. *Hon* —2D **54**
Marshall Mill Ct. *Scis* —5C **60**
Marshall St. *Mir* —5E **25**
Marsham Gro. *Hud* —3E **33**
Marsh Gdns. *Hon* —2D **54**
Marsh Gro. Rd. *Hud* —2F **33**
Marsh Hall La. *Thur* —3B **56**
Marsh La. *Hal* —1A **8**
Marsh La. *Shep* —2E **65**
Marsh Platt La. *Hon* —1E **55**
Marsh Rd. *H'frth* —5H **63**
Marsh St. *Cleck* —6C **4**
Marsland Ct. *Cleck* —2B **4**
Marston Av. *Morl* —1H **7**
Marten Dri. *Hud* —5F **45**
Marten Gro. *Hud* —5F **45**
Martin Bank Wood. *Alm* —5D **34**
Martin Grn. La. *G'lnd* —1E **19**
Martin St. *Birs* —3A **6**
Martin St. *Brigh* —3B **10**
Mary St. *Brigh* —2A **10**
Maryville Av. *Brigh* —1G **9**
Matherville. *Skelm* —5G **59**
Matlock St. *Hud* —6E **33**
Matterdale Clo. *Dew* —4G **15**
Matterdale Rd. *Dew* —4G **15**
Matthew Gro. *Mel* —4C **52**
Matthew La. *Mel* —4C **52**
Matty Marsden La. *Horb* —6E **29**
Maude St. *G'lnd* —1H **19**
Maurice Av. *Brigh* —2H **9**
Mavis Av. *Dew* —2C **26**
Mavis Rd. *Dew* —3B **14**
Mavis St. *Dew* —2C **26**
Maxwell Av. *Bat* —4E **15**
Maxwell St. *Morl* —1H **7**
Mayfair Av. *Sow* —1D **30**
Mayfield Av. *Hud* —4F **35**
Mayfield Ct. *Oss* —5E **29**
Mayfield Gro. *Hud* —4F **35**
Mayfield Ter. *Cleck* —5C **4**
Mayman Clo. *Bat* —1E **15**
Mayman La. *Bat* —1D **14**
Maynes Clo. *Dew* —6F **27**
Maypole Rd. *Hud* —5C **22**
Mayster Gro. *Brigh* —1G **21**
Mayster Rd. *Brigh* —1H **21**
May St. *Cleck* —4B **4**

May St. *Hud* —6G **33**
Maythorne Av. *Bat* —3C **14**
Mazebrook Av. *Cleck* —2C **4**
Mazebrook Cres. *Cleck* —2C **4**
Meadow Bank. *Dew* —6B **14**
Meadow Bank. *H'frth* —2G **63**
Meadow Bank Cres. *Mir* —3C **24**
Meadow Clo. *Bat* —3C **6**
Meadow Clo. *Liv* —5D **12**
Meadow Ct. *Brigh* —4E **11**
Meadow Ct. *Oss* —1C **28**
Meadowcroft. *Hon* —2C **54**
Meadow Croft. *Hud* —3F **23**
Meadow Dri. *Liv* —5D **12**
Meadowgate. *Oss* —1C **28**
Meadow Grn. *Lint* —4H **43**
Meadow La. *Dew* —5E **15**
Meadow La. *Liv* —5D **12**
Meadow La. *Slai* —3D **42**
Meadow Pk. *Hud* —6H **23**
Meadows, The. *Den D* —3F **67**
Meadow St. *Mar* —3F **33**
Meadow View. *Oss* —1C **28**
Meadow View. *Skelm* —5H **59**
Mead St. *Hud* —1A **34**
Mead Way. *Kbtn* —5C **48**
Meal Hill La. *Hep* —6B **64**
Meal Hill La. *Slai* —1C **42**
Mean La. *Mel* —4D **52**
Mearhouse Ter. *N Mill* —4A **64**
Medlock Rd. *Horb* —6G **29**
Medway. *Hud* —6H **23**
Meeting Ho. La. *Gol* —6E **31**
Meg La. *Hud* —5D **32**
Melbourne St. *Liv* —3F **13**
Mellor Brook. *Slai* —6D **30**
Mellor La. *H'frth* —3A **62**
Mellor Mill La. *Holy G* —4F **19**
Mellor St. *Brigh* —4B **10**
Melrose Clo. *Hud* —4F **35**
Melrose Ct. *Ell* —2A **20**
Melrose Ter. *Ell* —2B **20**
(off Savile Rd.)
Meltham Ho. La. *H'frth* —4B **64**
Meltham Mills Rd. *Mel* —4F **53**
Meltham Rd. *Hon* —3A **54**
Meltham Rd. *Hud & Lock*
—6E **45**
Meltham Rd. *Mars* —4G **41**
Melton St. *Bat* —6D **6**
Melton Way. *Liv* —5D **12**
Mendip Av. *Hud* —1C **32**
Mendip Rd. *Dew* —5H **15**
Mercer Clo. *Hud* —5E **45**
Merlin Ct. *Bat* —4C **6**
Merlin Ct. *Hud* —5G **45**
Merrion Cres. *Hal* —1A **8**
Merrion St. *Hal* —1A **8**
Merton St. *Hud* —5A **34**
Mexborough Ho. *Ell* —1B **20**
(off Gog Hill)
Middle Dean St. *G'lnd* —2G **19**
Middle Ellistones. *G'lnd* —1E **19**
(off Saddleworth Rd.)
Middlegate. *Birs* —3A **6**
Middle Hall Clo. *Liv* —2D **12**
Middle Rd. *Earl* —1G **27**
Middle Rd. *Wtwn* —1D **26**
Middleton Ct. *Liv* —2C **12**
Midland St. *Hud* —2B **34**
Midway. *S Cro* —6C **44**
Mile End. *Mel* —5D **52**
Milford Ct. *Hud* —5A **34**
Milford Gro. *Gom* —1E **5**
Milford St. *Hud* —5A **34**
Mill Bank Rd. *Mel* —5E **53**

Millbrook Gdns. *Dew* —4C **14**
Miller Hill. *Den D* —3G **67**
Miller Hill Bank. *Den D* —3G **67**
Millers Ct. *Liv* —4F **13**
Millfield Clo. *Hud* —3E **33**
Millfields. *Oss* —3C **28**
Mill Forest Way. *Bat* —4E **15**
Millgate. *Ell* —1B **20**
Millgate. *Fen B* —2H **47**
Millgate. *Hud* —5G **33**
Mill Hill La. *Brigh* —2H **9**
Mill Hill La. *Clif* —5F **11**
Mill La. *Bat* —2F **15**
Mill La. *Birs* —2D **6**
Mill La. *Brigh* —4B **10**
Mill La. *Cleck* —1B **4**
Mill La. *Dew* —1A **28**
Mill La. *Far T* —6G **47**
Mill La. *Floc* —1F **51**
Mill La. *Holy G* —4G **19**
Mill La. *Hud* —3H **23**
Mill La. *Mir* —1B **24**
Mill Moor Rd. *Mel* —4B **52**
Mill Pk. *Mir* —6D **24**
Mill Race Fold. *Thon* —6G **55**
Mill Rd. *Dew* —4E **15**
Mill Royd St. *Brigh* —4B **10**
Mill Shaw La. *H'frth* —6C **64**
Millstone Rise. *Liv* —4F **13**
Mill St. *Birs* —4A **6**
Mill St. *Cros M* —6G **33**
Mill St. E. *Dew* —1F **27**
Mill St. W. *Dew* —1E **27**
Milner Clo. *G'lnd* —1G **19**
Milner La. *G'lnd* —1G **19**
Milner St. *Hud* —1G **45**
Milner St. *Oss* —5C **16**
Milner Way. *Oss* —2E **29**
Miln Rd. *Hud* —2A **34**
Milroyd Cres. *Bat* —2C **6**
Milton Av. *Liv* —3G **13**
Milton Clo. *Liv* —4G **13**
Milton Dri. *Liv* —4G **13**
Milton Gdns. *Liv* —3G **13**
Milton Gro. *Dew* —4E **15**
Milton Pl. *Oss* —1D **28**
Milton Rd. *Liv* —3G **13**
Milton Sq. *Heck* —2H **13**
Milton St. *Heck* —1H **13**
Milton Ter. *Cleck* —4A **4**
Milton Wlk. *Dew* —6E **15**
(off Wellington Wlk.)
Minerva St. *Hud* —1B **44**
Minstead Av. *Ell* —1F **21**
Mint St. *Hud* —3F **33**
Miramar. *Hud* —3D **22**
Miry La. *Liv* —2H **11**
Miry La. *Nthng* —5H **54**
Miry La. *Thon* —6F **55**
Mission St. *Brigh* —5C **10**
Mistral Gro. *Liv* —1H **11**
Mitchell Av. *Dew* —4D **14**
Mitchell Av. *Hud* —5H **35**
Mitchell St. *Brigh* —3A **10**
Mitre St. *Dew* —6C **14**
Mitre St. *Hud* —3G **33**
Moat Hill. *Birs* —2C **6**
Moat Hill Farm Dri. *Bat* —2C **6**
Modd La. *H'frth* —4D **62**
Moles Head. *Gol* —4G **31**
Mona St. *Slai* —3D **42**
Monkfield. *Mir* —2C **24**
Monk Ings. *Birs* —3H **5**
Monk Ings Av. *Birs* —3G **5**
Moorbottom. *Cleck* —6A **4**
Moorbottom. *Hon* —2D **54**

Nixon Clo. *Dew* —1H **39**
Nook Grn. *Dew* —6F **27**
Nooking, The. *K'gte* —3H **17**
Nook, The. *Cleck* —4C **4**
Nook Wlk. *Dew* —6B **14**
Nopper Rd. *H'frth* —5B **44**
Norcross Av. *Hud* —3C **32**
Norfield. *Fix* —4A **22**
Norfolk Av. *Bat* —3D **14**
Norfolk St. *Bat* —2D **14**
Norfolk Wlk. *Dew* —6D **14**
(off Boothroyd La.)
Norgarth Clo. *Bat* —1H **15**
Norland Rd. *G'lnd* —1B **18**
Norman Av. *Ell* —2C **20**
Norman Dri. *Mir* —2D **24**
Norman Gro. *Ell* —2C **20**
Norman Rd. *Den D* —3F **67**
Norman Rd. *Hud* —1A **34**
Norman Rd. *Mir* —2D **24**
Norman St. *Ell* —2C **20**
Norman Ter. *Ell* —2C **20**
Norquest Ind. Pk. *Birs* —1C **6**
Norridge Bottom. *H'frth* —3E **63**
Norris Clo. *Hud* —6G **35**
Norristhorpe Av. *Liv* —4E **13**
Norristhorpe La. *Liv* —4E **13**
N. Bank Rd. *Bat* —1C **14**
N. Bank Rd. *Hud* —1H **33**
North Carr. *Hud* —3E **35**
N. Carr Croft. *Hud* —3E **35**
Northcote. *Oss* —5C **16**
North Cross Rd. *Hud* —6H **21**
North Cut. *Brigh* —4H **9**
North Dri. *Gol* —5A **32**
Northfield Av. *Hud* —6G **33**
Northfield Av. *Oss* —1D **28**
Northfield Clo. *Ell* —2B **20**
(off Victoria Av.)
Northfield Gro. *Hud* —1H **45**
Northfield La. *Kbtn* —4C **48**
N. Field La. *Skelm* —4A **59**
Northfield Pl. *Dew* —5D **14**
Northfield Rd. *Dew* —5D **14**
Northfield Rd. *Oss* —2D **28**
Northfield St. *Dew* —5E **15**
Northfield Ter. *Slai* —2E **43**
Northgate. *Alm* —1F **47**
Northgate. *Cleck* —5B **4**
Northgate. *Dew* —6F **15**
Northgate. *Ell* —1B **20**
Northgate. *Heck* —2G **13**
Northgate. *Hon* —6A **46**
(in two parts)
Northgate. *Horb* —6G **29**
Northgate. *Hud* —3B **34**
North Ga. *Mir* —6B **24**
N. Hill Dri. *Hud* —2A **36**
N. King St. *Bat* —2F **15**
North La. *Eml* —5E **51**
North La. *Slai* —3B **42**
N. Lodge Fold. *Dew* —3B **14**
N. Moor La. *Hud* —6A **24**
(in two parts)
Northorpe Ct. *Mir* —2G **25**
Northorpe La. *Mir* —1G **25**
North Pk. St. *Dew* —5C **14**
North Rise. *Hud* —6C **22**
North Rd. *Dew* —2H **25**
North Rd. *Kbtn* —5C **48**
North Row. *Shep* —6F **57**
North's Pl. *Mir* —1E **25**
N. Spring Ct. *Kbtn* —6A **48**
Northstead. *Dew* —2H **25**
North St. *Bat* —5E **15**
(Batley)

North St. *Bat* —6D **6**
(Cross Bank)
North St. *G'lnd* —1H **19**
North St. *Heck* —3H **13**
North St. *Holy G* —4G **19**
North St. *Lock* —6G **33**
North St. *Mir* —6D **24**
North St. *Pad* —5F **33**
North Ter. *Birs* —3B **6**
Northumberland St. *Hud* —4A **34**
North View. *Sav T* —2F **27**
N. View Ter. *Dew* —4D **14**
(off Halifax Rd.)
N. View Ter. *Dew* —4B **14**
(off Staincliffe Rd.)
North Way. *Hud* —4E **23**
Northway. *Mir* —1D **24**
Northway Cres. *Mir* —1D **24**
Northway Gdns. *Mir* —1D **24**
Northwood Pk. *Kbtn* —5C **48**
Norton Clo. *Ell* —3B **20**
Norton St. *Ell* —3B **20**
Norton Ter. *Stkmr* —4E **57**
Nortonthorpe Ind. Est. *Scis*
—5B **60**
Norwood Av. *B'shaw* —1F **5**
Norwood Cres. *B'shaw* —1F **5**
Norwood Dri. *Bat* —4B **6**
Norwood Pk. *Hud* —1F **33**
Norwood Rd. *Bir* —6G **21**
Nova La. *Birs* —2H **5**
Nowell Pl. *Hud* —6F **35**
Nowells Yd. *Dew* —6D **14**
Nunnery La. *Brigh* —1F **21**
Nunroyd. *Heck* —1H **13**
Nursery St. *Dew* —4E **27**
Nursery St. *Hud* —1A **34**
Nursery Wood Rd. *Bat* —3F **15**
Nussey Av. *Birs* —2A **6**
Nutter La. *Birs* —2G **5**
Nutter St. *Cleck* —5A **4**

Oak Av. *Gol* —5A **32**
Oak Av. *Hud* —5E **35**
Oak Av. *Mel* —3C **52**
Oakdale Cres. *Hud* —2C **32**
Oakdean. *Hud* —4A **22**
Oak Dri. *Gol* —1H **43**
Oaken Bank Cres. *Hud* —1C **46**
Oakes Av. *Broc* —4G **55**
Oakes Fold. *Lep* —1E **49**
Oakes Gdns. *Holy G* —4F **19**
Oakes La. *Broc* —4G **55**
(in two parts)
Oakes Rd. *Hud* —2D **32**
Oakes Rd. S. *Hud* —3D **32**
Oakfield Clo. *Ell* —2A **20**
Oakfield Gro. *Skelm* —5G **59**
Oakfield Rd. *Hud* —1G **33**
Oakhill Rd. *Bat* —5C **6**
Oak Hill Rd. *Brigh* —3B **10**
Oakland Ct. *Kbtn* —5D **48**
Oaklands. *Brigh* —5H **9**
Oaklands Clo. *H'frth* —1E **63**
Oaklands Dri. *Hud* —5F **35**
Oak Rise. *Cleck* —2B **4**
Oak Rd. *Hud* —3G **23**
Oak Rd. *Morl* —1H **7**
Oakroyd Clo. *Brigh* —1B **10**
Oakroyd Dri. *Brigh* —1B **10**
Oak Scar La. *H'frth* —6G **63**
Oaks Grn. Mt. *Brigh* —1H **21**
Oaks Rd. *Bat* —2G **15**
Oak St. *Ell* —2B **20**
Oak St. *Heck* —2H **13**

Oak Ter. *Holy G* —4E **19**
Oak Tree Av. *Fen B* —1B **48**
Oak Tree Av. *H'frth* —5H **63**
Oak Tree Rd. *Fen B* —1B **48**
Oak Tree Ter. *Fen B* —1B **48**
Oak View Ter. *Bat* —4B **6**
Oakway. *B'shaw* —1F **5**
Oakwell Av. *Bat* —6A **6**
Oakwell Ct. *Bat* —1C **6**
Oakwell Ind. Est. *Bat* —1D **6**
Oakwell Ind. Pk. *Bat* —1C **6**
Oakwell Way. *Birs* —1C **6**
Oakwood Rd. *Bat* —1G **15**
Oastler Av. *Hud* —5H **33**
Oastler St. *Dew* —6D **14**
Oates St. *Dew* —6E **15**
Occupation La. *H'frth* —5H **55**
Occupation La. *Stainc* —3B **14**
Occupation Rd. *Lind* —2E **33**
Occupation Rd. *Sheep* —5C **22**
Ochrewell Av. *Hud* —5E **23**
O'cot La. *Hud* —5A **30**
Oddfellows St. *Brigh* —3B **10**
Oddfellows St. *Mir* —3E **25**
Ogden La. *Brigh* —6H **9**
Old Bank. *Slai* —4D **42**
Old Bank Rd. *Dew* —6G **15**
Old Bank Rd. *Mir* —1E **25**
Old Brookfoot La. *Brigh* —3H **9**
Old Chu. St. *Oss* —3D **28**
Old Dan La. *Holy G* —3G **19**
Old Earth. *Ell* —1D **20**
Old Fieldhouse La. *Hud* —6D **22**
Oldfield La. *Clay W* —4D **60**
Oldfield La. *Heck* —3H **13**
Oldfield Rd. *Hon* —5C **54**
Oldfield St. *Hud* —6G **33**
Oldgate. *Hud* —4B **34**
Old Hall La. *Eml* —1C **60**
Old Hall Rd. *Bat* —5E **7**
Oldham St. Brigh —5A **10**
(off Bridge End)
Old La. *Brigh* —3B **10**
Old La. *Gol* —5F **31**
(in two parts)
Old La. *Hud* —3C **22**
Old La. *Slai* —5B **42**
Old La. Ct. Brigh —3B **10**
(off Old La.)
Old Leeds Rd. *Hud* —4B **34**
Old Lindley Rd. *Holy G* —5G **19**
Old Mill Yd. *Oss* —5B **28**
Old Moll Rd. *Hud* —1B **54**
Old Power Way. *Lfds B* —6C **8**
Old Rd. *H'frth* —6A **62**
Old Rd. *Ove* —5G **39**
Old Robin. Cleck —5B **4**
(off Westgate)
Old S. St. *Hud* —4A **34**
Old Turnpike. *Hon* —2E **55**
Old Wakefield Rd. *Hud* —5D **34**
Old Warehouse, The. Hud
(off Henry St.) —4A **34**
Old Westgate. *Dew* —6E **15**
Old Yew La. *H'frth* —6C **62**
Oliver Gdns. *Mir* —1D **24**
Oliver La. *Mars* —4F **41**
Oliver Meadows. *Ell* —1D **20**
Oliver Rd. *Heck* —1A **14**
Olive St. *Hud* —1B **34**
Olive Ter. *Mars* —6A **42**
Olney St. *Slai* —3D **42**
Omar St. *Heck* —2G **13**
Orchard Clo. *Horb* —6G **29**
Orchard Clo. *Mel* —5F **53**
Orchard Croft. *Bat* —3C **14**

Orchard Lees. *Hud* —2A **36**
Orchard Rd. *Hud* —2A **36**
Orchards, The. *Gom* —4G **5**
Orchard St. *Dew* —2E **27**
Orchard St. *Hud* —6A **34**
Orchard St. W. *Hud* —5C **32**
Orchard Ter. *Hud* —6B **34**
Orchard, The. *Holy G* —5D **18**
Orchard, The. *Mir* —1F **25**
Orchard, The. *Oss* —3D **28**
Orchard Way. *Brigh* —2A **10**
Orlando Clo. *Mir* —1D **24**
Osborne Av. *Horb* —5H **29**
Osborne Rd. *Hud* —2H **33**
Osborne St. *Hud* —5D **34**
Osborne Ter. *Bat* —6D **6**
Osprey Dri. *Neth* —5F **45**
Ossett La. *Dew* —1H **27**
Ottiwells Ter. *Mars* —5F **41**
Outcote Bank. *Hud* —5A **34**
Out La. *Eml* —5E **51**
Out La. *Nthng* —6D **54**
Ouzelwell Cres. *Dew* —5D **26**
Ouzelwell La. *Dew* —6B **26**
Ouzelwell Rd. *Dew* —4D **26**
Oval, The. *H'frth* —1D **62**
Oval, The. *Liv* —1A **12**
Over Hall Clo. *Mir* —2F **25**
Over Hall Pk. *Mir* —2F **25**
Over Hall Rd. *Mir* —2F **25**
Overthorpe Av. *Dew* —1E **39**
Overthorpe Rd. *Dew* —6F **27**
Owens Ter. *Hon* —3C **54**
Owler Bars Rd. *Mel* —4C **52**
Owler Ings Rd. *Brigh* —4A **10**
Owler La. *Birs* —1A **6**
Owlers Clo. *Hud* —3F **23**
Owlet Hurst La. *Liv* —4F **13**
Owl La. *Dew & Oss* —4A **16**
Owl M. *Hud* —4A **36**
Oxfield Ct. *Hud* —4G **35**
Oxford Clo. *Gom* —4F **5**
Oxford Cres. *Hal* —2A **8**
Oxford Dri. *Gom* —4F **5**
Oxford La. *Hal* —2A **8**
Oxford Pl. *Hud* —1G **45**
Oxford Rd. *Birs* —3A **6**
Oxford Rd. *Dew* —5C **14**
Oxford Rd. *Gom* —1F **5**
Oxford St. *Bat* —2D **14**
Oxford St. *Hud* —3A **34**
Oxford St. *Morl* —2H **7**
Oxford Ter. *Bat* —2F **15**
Oxford Wlk. *Cleck* —4F **5**
Oxley Rd. *Hud* —4C **22**
Oxleys Sq. *Mount* —1H **31**

Pack Horse Clo. *Clay W* —2E **61**
Padan St. *Hal* —2A **8**
Paddock Foot. *Hud* —5G **33**
Paddock Rd. *Kbtn* —5E **49**
Paddock, The. *Earl* —2H **27**
Paddock, The. *Khtn* —3A **36**
Page St. *Hud* —5B **34**
Paget Cres. *Hud* —1F **33**
Paleside La. *Oss* —1D **28**
Palesides Av. *Oss* —6D **16**
Palm St. *Hud* —6B **34**
Parade, The. *Bat* —2C **14**
Paris Rd. *Sch* —5H **63**
Park Av. *Bat* —6F **7**
Park Av. *Clay W* —3D **60**
Park Av. *Dew* —1D **26**
Park Av. *Ell* —2A **20**
Park Av. *Hud* —4H **33**

Park Av. *Liv* —4E **13**
Park Av. *Mir* —4F **25**
Park Av. *Morl* —1H **7**
Park Av. *Shel* —3H **57**
Park Clo. *Bat* —3D **14**
Park Clo. *Shel* —3H **57**
Park Ct. *Oss* —4F **29**
Park Croft. *Bat* —2D **14**
Park Croft. *Dew* —6C **14**
Park Dri. *Bat* —5C **6**
Park Dri. *Hud* —3G **33**
Park Dri. *Shel* —4H **57**
Park Dri. E. *Mir* —3F **25**
Park Dri. N. *Mir* —3F **25**
Park Dri. S. *Hud* —4G **33**
Park Dri. W. *Mir* —3F **25**
Parker La. *Mir* —3F **25**
Parker Rd. *Dew* —5E **27**
Parker St. *Heck* —2H **13**
Parker St. *Liv* —3G **13**
Parkfield Av. Ell —2B **20**
  (off Catherine St.)
Parkfield Av. *Mir* —4G **25**
Parkfield Cres. *Mir* —4F **25**
Parkfield Croft. *Mir* —4G **25**
Parkfield Dri. *Oss* —3G **29**
Parkfield View. *Oss* —3G **29**
Parkfield Way. *Mir* —4F **25**
Park Gdns. *Oss* —4F **29**
Parkgate. *Hud* —4H **45**
Park Ga. Rd. *Mars* —2H **41**
Park Gro. *Horb* —6F **29**
Park Gro. *Hud* —4H **33**
Park Gro. *Mir* —4G **25**
Pk. Head La. *Cumb* —3G **65**
Park Head La. *H'frth* —3C **62**
Park Hill. *Hud* —2F **23**
Park Ho. Dri. *Dew* —4F **27**
Parkin Sq. *Gol* —5F **31**
Parkin St. *Liv* —1A **12**
Parkland Av. *Morl* —1G **7**
Parklands. *Dew* —4F **29**
Parklands Wlk. *Shel* —3H **57**
Park La. *Ber B* —5H **45**
Park La. *Birds* —3A **66**
Park La. *Gol* —6H **31**
Park La. *Hal* —4A **8**
Park La. *Mel* —4E **53**
Park La. *Skelm* —3G **59**
Park La. *Sow* —1D **30**
Park Lea. *Hud* —2F **23**
Pk. Lodge View. *Skelm* —5G **59**
Park Mill La. *Oss* —6F **17**
Pk. Mill Way. *Liv W* —3D **60**
Park Pde. *Dew* —1D **26**
Park Pde. *Morl* —1H **7**
Park Rd. *Bat* —1F **15**
Park Rd. *Clay W* —3D **60**
Park Rd. *Cow* —6C **32**
Park Rd. *Cros M* —6F **33**
Park Rd. *Dew* —1H **27**
  (High Rd.)
Park Rd. *Dew* —5C **14**
  (Green La.)
Park Rd. *Ell* —6B **8**
Park Rd. *Heck* —2H **13**
Park Rd. *Raven* —2B **26**
Park Rd. *Sav T* —2E **27**
Park Rd. W. *Hud* —6E **33**
Park Row. *Brigh* —4B **10**
Parkside. *Cleck* —5C **4**
Park Side. *Floc* —1E **51**
Park Side. *Gom* —5E **5**
Park Side. *Hud* —1A **36**
Park Side. *Sch* —4A **64**
Park Sq. *Oss* —4F **29**

Parkstone. *Hud* —2F **23**
Park St. *Bat* —1F **15**
Park St. *Birs* —4A **6**
Park St. *Brigh* —4B **10**
Park St. *Dew* —5F **15**
Park St. *Gol* —4G **31**
Park St. *Gom* —4G **5**
Park St. *Heck* —2H **13**
Park St. *Oss* —4F **29**
Park, The. *Clay W* —4E **61**
Park, The. *S'wram* —2C **8**
Park View. *Cleck* —4A **4**
Park View. *H'frth* —3E **63**
Park View. *Holy G* —2E **31**
Park View. *Mars* —4G **41**
Park View. *Mir* —4G **25**
Park View. *Thorn* —6G **27**
Park View. *Thorn L* —3E **27**
Parkwood Clo. *Shel* —3H **57**
Parkwood Rd. *Gol & Hud*
  —4A **32**
Parsonage La. *Brigh* —3A **10**
Partridge Cres. *Dew* —1H **39**
Pastures Way. *Gol* —5H **31**
Pateley Cres. *Hud* —6A **22**
Patterdale Dri. *Hud* —4D **34**
Patterdale Rd. *Dew* —4G **15**
Paul La. *Floc M* —1G **49**
Paul La. *Hud* —4A **24**
Pawson St. *Morl* —1H **7**
Peace Hall Dri. *Fen B* —5A **36**
Peak View. *Dew* —4B **14**
Pearl St. *Bat* —6C **6**
Pearson's La. *Bstfld* —3B **38**
Pearson St. *Msde* —6C **4**
Pear St. *Hud* —6G **33**
Peaseland Av. *Cleck* —5A **4**
Peaseland Clo. *Cleck* —5B **4**
Peaseland Rd. *Cleck* —5B **4**
Peat Ponds. *Hud* —1A **32**
Peckett Clo. *Hud* —3E **33**
Peebles Clo. *Hud* —1C **32**
Peel Av. *Bat* —1E **15**
Peel St. *Heck* —2G **13**
Peel St. *Hud* —5A **34**
Peel St. *Mars* —4F **41**
Peep Grn. La. *Liv* —4A **12**
Peep Grn. Rd. *Liv* —4A **12**
Pell Ct. *H'frth* —2G **63**
Pell La. *H'frth* —2G **63**
Penistone Rd. *N Mill & Shep*
  —2A **64**
Penistone Rd. *Shel* —4A **58**
Penistone Rd. *W'loo & Kbtn*
  —5H **35**
Penn Dri. *Liv* —6B **4**
Penn Gro. *Liv* —6B **4**
Pennine Clo. *H'frth* —3B **62**
Pennine Cres. *Hud* —2A **32**
Pennine Dri. *Scis* —4B **60**
Pennine Gdns. *Lint* —3H **43**
Pennine Rise. *Scis* —4B **60**
Pennine Rd. *Dew* —6G **15**
Pennine View. *Birs* —1C **6**
Pennine View. *Lint* —3H **43**
Pennine Way. *Scis* —4B **60**
Pennistone Rd. *N Mill* —2A **64**
Penny La. *W'loo* —5H **35**
Penny Spring. *Hud* —1E **47**
Penryn Av. *Hud* —2A **36**
Pentland Rd. *Dew* —2F **27**
Pentland Way. *Morl* —1H **7**
Penuel Pl. *Hal* —3A **8**
Pepper Royd St. *Dew* —5F **15**
Percival St. *Hud* —4B **32**

Percy St. *Hud* —1A **34**
Peregrine Ct. *Neth* —5G **45**
Peridot Fold. *Far* —6C **22**
Permain Ct. *New* —6B **34**
Perserverence St. *Cow* —1B **44**
Perseverance St. *Prim H* —1A **46**
Perseverance Ter. *Bat* —3E **15**
Peter Hill. *Bat* —4F **15**
Pether Hill. *Slnd* —5D **18**
Pheasant Dri. *Birs* —1C **6**
Phoebe La. *Hal* —2A **8**
Phoenix Av. *Eml* —6F **51**
Phoenix St. *Brigh* —4B **10**
Pickering Dri. *Oss* —5C **16**
Pickering La. *Oss* —5C **16**
Pickersgill St. *Oss* —6C **16**
Pickford St. *Hud* —6C **32**
Pick Hill Rd. *Mel* —3D **52**
Picklesfield. *Bat* —4D **14**
Pickles La. *Skelm* —5H **59**
Pickles St. *Bat* —4D **14**
Piggott St. *Brigh* —3A **10**
Pighill Top La. *Slai* —2C **42**
Pike Law La. *Gol* —5F **31**
Pike Law Rd. *Gol* —5E **31**
Pildacre Brow. *Oss* —2C **28**
Pildacre Croft. *Oss* —2C **28**
Pildacre La. *Dew & Oss* —2A **28**
Pilgrim Av. *Dew* —1B **26**
Pilgrim Cres. *Dew* —1B **26**
Pilgrim Dri. *Dew* —1B **26**
Pilling La. *Skelm* —4H **59**
Pilling Top La. *Shel* —2B **58**
Pine Ct. *Neth* —6F **45**
Pine Ct. M. *Neth* —6F **45**
Pine Gro. *Bat* —2D **14**
Pinehurst Ct. Lind —1D **32**
  (off Lidget St.)
Pine St. *Hud* —3B **34**
Pinewood Gdns. *Holy G* —4F **19**
Pinfold Clo. *Floc* —2E **51**
Pinfold Clo. *Mir* —3F **25**
Pinfold Clo. *Thorn* —6G **27**
Pinfold Hill. *Dew* —6D **14**
Pinfold La. *Ell* —2F **21**
Pinfold La. *Floc* —2E **51**
Pinfold La. *Gol* —6E **31**
Pinfold La. *Hud* —5A **30**
Pinfold La. *Lep* —1E **49**
Pinfold La. *Mir* —3F **25**
Pingle Rise. *Den D* —1G **67**
Pinnar Croft. *Hal* —2C **8**
Pinnar La. *Hal* —1B **8**
Pioneer St. *Dew* —5E **27**
Piper Well La. *Cumb* —3G **65**
Pippins Grn. Av. *K'gte* —4H **17**
Pit La. *Dew* —4B **14**
Pit La. *Gom* —2F **5**
Pitt Hill La. *Bklnd* —6A **18**
Pitt St. *Liv* —4F **13**
Plains. *Mars* —3G **41**
Plains La. *Mars* —3G **41**
Plane St. *Hud* —1B **46**
Plane Trees Clo. *Cleck* —1B **4**
Plantation Dri. *New* —3A **46**
Platt La. *Slai* —3E **43**
Platt Sq. Cleck —5B **4**
  (off Westgate)
Plover Dri. *Bat* —1B **14**
Plover Rd. *Lind* —2D **32**
Pole Gate. *Slai* —1B **42**
Pole Ga. Branch. *Hud* —6B **30**
Pollard Av. *Gom* —3F **5**
Pollard Clo. *Gom* —3F **5**
Pollard St. *Brigh* —4B **10**

Pollard St. *Hud* —6B **22**
Pollard Way. *Gom* —3F **5**
Pollars St. S. *Hud* —6D **32**
Pond Clo. *Hud* —2H **45**
Pond Farm Dri. *Hov E* —1G **9**
Pond La. *Lep* —2E **49**
Pond Ter. *Brigh* —1G **9**
Ponker La. *Skelm* —6E **59**
Ponker Nook La. *Skelm* —5F **59**
Pontey Cvn. Site. *Hon* —3B **54**
Pontey Dri. *Hud* —5H **35**
Pontey Mt. *Hud* —5H **35**
Ponyfield Clo. *Bir* —2G **33**
Popeley Rd. *Heck* —6G **5**
Poplar Av. *H'frth* —5G **55**
Poplar Gro. *Cleck* —6A **4**
Poplar Rise. *Skelm* —5H **59**
Poplar St. *Bir* —1A **34**
Poplar St. *Mold* —5C **34**
Poplar Ter. *Hud* —4D **34**
Popley Butts. *Mel* —5D **52**
Popley Dri. *Mel* —5D **52**
Porritt St. Cleck —3B **4**
  (off Heaton St.)
Portal Cres. *Mir* —6E **13**
  (in two parts)
Portal Dri. *Mir* —6E **13**
Portland Clo. Lind —3E **33**
Portland Ho. Ell —1B **20**
  (off Huddersfield Rd.)
Portland St. *Hud* —3H **33**
Post Office St. *Rawf* —6D **4**
Potters Wlk. *Gol* —6A **32**
Pottery St. *Hud* —2A **32**
Powell St. *Heck* —3A **14**
Pratt La. *Mir* —2E **25**
Preston St. *Bat* —2E **15**
Preston St. *Dew* —2G **27**
Prestwich Dri. *Hud* —5H **21**
Prestwick Fold. *Oss* —1D **28**
Pretoria St. *Slai* —3D **42**
Priestley Av. *Heck* —6H **5**
Priestley Gro. *Hud* —3H **45**
Priestley Sq. *Birs* —2A **6**
Primitive St. *Hud* —4B **34**
Primrose Gro. *Hud* —1A **46**
Primrose Hill. *Bat* —6F **7**
Primrose Hill Rd. *Hud* —6A **34**
Primrose La. *Kbtn* —4B **48**
Primrose La. *Liv* —2D **12**
Primrose La. *Mir* —1G **25**
Primrose St. *Hud* —6A **34**
Princess Alexandra Wlk. Hud
  (off Princess St.) —5B **34**
Princess Av. *Dew* —6A **16**
Princess Clo. *Dew* —6A **16**
Princess Cres. *Dew* —1A **28**
Princess Gdns. Dew —6D **14**
  (off Halliley St.)
Princess La. *Dew* —6A **16**
Princess Of Wales Precinct, The.
  Dew —6F **15**
  (off Tithe Barn St.)
Princess Rd. *Dew* —6A **16**
Princess St. *Bat* —6E **7**
Princess St. *Brigh* —4B **10**
Princess St. *Dew* —6A **16**
Princess St. *G'lnd* —1H **19**
Princess St. *Hud* —5A **34**
Princess St. *Mir* —4E **25**
Princes St. *Heck* —2A **14**
Prince St. *Bat* —6E **7**
Prince St. *Dew* —6F **15**
Prince St. *Hud* —6B **34**
Prince Wood La. *Hud* —6E **21**
Priory Clo. *Mir* —2C **24**

Priory Clo. *Oss* —4D **28**
Priory Croft. *Oss* —3D **28**
Priory Pl. *Hud* —3F **23**
Priory Rd. *Brigh* —5C **10**
Priory Rd. *Oss* —3D **28**
Priory Wlk. *Mir* —2C **24**
Priory Way. *Mir* —2C **24**
Prospect Ho. *Hud* —5A **34**
  (off Prospect St.)
Prospect Pl. *Brigh* —4A **10**
Prospect Pl. *Hud* —2D **30**
Prospect Rd. *Cleck* —4B **4**
Prospect Rd. *Harts* —5B **12**
Prospect Rd. *Heck* —6G **5**
Prospect Rd. *Lgwd* —4B **32**
Prospect Rd. *Oss* —3D **28**
Prospect St. *Bat* —6E **7**
Prospect St. *Cleck* —5A **4**
Prospect St. *Hud* —5A **34**
Prospect Ter. *Cleck* —4B **4**
Prospect Ter. *Liv* —2D **12**
Prospect View. *Liv* —4B **12**
Providence Bldgs. *Hal* —2C **8**
  (off New St.)
Providence Hill. *Slnd* —5C **18**
Providence Pl. *Brigh* —5C **10**
Providence Pl. *Morl* —1G **7**
Providence St. *Bat* —1E **15**
Providence St. *Cleck* —4C **4**
Providence St. *Earl* —1H **27**
Providence St. *Ell* —1B **20**
Pumphouse La. *Mir* —2F **25**
Pump La. *Gom* —6B **14**
Pump La. *Kbtn* —5G **49**
Pump La. *Wake* —1E **17**
Purlwell Av. *Bat* —2D **14**
Purlwell Cres. *Bat* —3D **14**
Purlwell Hall Rd. *Bat* —3E **15**
Purlwell La. *Bat* —2E **15**
Pussy La. *Shel* —3A **58**
Pyenot Av. *Cleck* —5C **4**
Pyenot Dri. *Cleck* —6C **4**
Pyenot Gdns. *Cleck* —6C **4**
Pyenot Hall La. *Cleck* —5C **4**
Pymroyd La. *Hud* —6C **32**
  (in two parts)
Pynate Rd. *Bat* —6C **6**
Pyrah St. *Dew* —5E **15**

QBM Bus. Pk. *Bat* —2B **6**
Quaker Ga. *Skelm* —3E **59**
Quaker La. *Cleck & Liv* —5B **4**
Quaker La. *Hud* —5G **33**
Quarmby Croft. *Hud* —3C **32**
Quarmby Fold *Hud* —3C **32**
Quarmby Rd. *Hud* —3D **32**
Quarry Clo. *Broc* —4G **55**
Quarry Ct. *Brigh* —1G **9**
  (off Spout Ho. La.)
Quarry Ct. *Lgwd* —3B **32**
Quarry Dri. *Tan* —4H **35**
Quarryfields. *Mir* —1F **25**
Quarry Hill. *Hud* —6H **35**
Quarry Hill Ind. Est. *Horb*
  —6E **29**
Quarry La. *Bat* —4B **6**
Quarry La. *Neth* —5E **45**
Quarry La. *Tan* —5A **36**
Quarry Rd. *Brigh* —1A **22**
Quarry Rd. *Cleck* —5B **4**
Quarry Rd. *Cros M* —1D **44**
Quarry Rd. *Dew* —1D **26**
Quarry Rd. *Gom* —5F **5**
Quarry Rd. *Liv* —2E **13**
Quarry Rd. *Mar* —4G **33**

Quarryside Rd. *Mir* —2C **24**
Quarry View. *Dew* —5B **14**
Quay St. *Hud* —4B **34**
Quebec St. *Ell* —1C **20**
Queen Elizabeth Gdns. *Hud*
  —4H **33**
Queen's Cres. *Oss* —3D **28**
Queens Dri. *Hal* —2C **8**
Queen's Dri. *Oss* —3F **29**
Queens Dri. Clo. *Oss* —3F **29**
Queen's Gdns. *Oss* —3D **28**
Queensgate. *Hud* —5A **34**
Queens Gro. *Morl* —1H **7**
Queen's Mill Rd. *Hud* —6A **34**
Queen's Rd. *Hud* —2G **33**
Queens Rd. *Morl* —1H **7**
Queens Rd. W. *Cow* —6D **32**
Queens Sq. *Hud* —1D **34**
Queens Ter. *Oss* —3D **28**
Queen St. *Chick* —1B **28**
Queen St. *Gom* —2F **5**
Queen St. *G'lnd* —2G **19**
Queen St. *Heck* —3G **13**
Queen St. *Hud* —4B **34**
Queen St. *Mar* —6C **4**
Queen St. *Mir* —4E **25**
Queen St. *Oss* —3D **28**
Queen St. *Raven* —2A **26**
Queen St. *Skelm* —4G **59**
Queen St. S. *Hud* —6B **34**
Queen's Wlk. *Oss* —3F **29**
Queens Way. *Kbtn* —1H **57**

Rachael St. *Horb* —6F **29**
Racton St. *Slai* —3D **42**
Radcliffe Rd. *Hud* —6D **32**
  (in two parts)
Radcliffe Rd. *Slai* —3E **43**
Radcliffe St. *Skelm* —4F **59**
Rafborn Av. *Hud* —1A **32**
Rafborn Gro. *Hud* —1A **32**
Raikes La. *Birs* —2A **6**
Railway St. *Brigh* —5B **10**
Railway St. *Cleck* —5B **4**
Railway St. *Dew* —6F **15**
Railway St. *Heck* —3H **13**
Railway St. *Hud* —4A **34**
Railway St. *Raven* —2C **26**
Railway Ter. *Brigh* —4C **10**
  (off Clifton Comn.)
Ramsden Ct. *Hud* —6A **34**
Ramsden Mill La. *Gol* —1A **44**
  (in two parts)
Ramsden St. *Gol* —6A **32**
Ramsden St. *Hud* —5A **34**
Ranter's Fold. *Horb* —6G **29**
Rashcliffe Hill Rd. *Hud* —6H **33**
Rastrick Comn. *Brigh* —6A **10**
Rathlin Rd. *Dew* —3H **15**
Ravens Av. *Dew* —2C **26**
Ravens Av. *Hud* —5E **35**
Ravens Cres. *Dew* —2C **26**
Ravens Croft. *Dew* —2C **26**
Ravensdene. *Hud* —2F **33**
Ravensfield Rd. *Dew* —2C **26**
Ravens Gro. *Dew* —2C **26**
Ravenshouse Rd. *Dew* —1B **26**
Ravensknowle Rd. *Hud* —5E **35**
Ravens Lodge Ter. *Dew* —2C **26**
Ravens St. *Dew* —2B **26**
Ravensthorpe Rd. *Raven & Dew*
  —3B **26**
Ravenstone Dri. *G'lnd* —2G **19**
Raven St. *Hud* —5F **33**
Ravens Wlk. *Dew* —2C **26**

Ravens Way. *H'frth* —4A **64**
Ravenswharf Rd. *Dew* —2C **26**
Rawfolds Av. *Birs* —2B **6**
Rawfolds Way. *Cleck* —6D **4**
Raw Hill. *Brigh* —6H **9**
Raw Nook Rd. *Hud* —2A **32**
Rawroyds. *G'lnd* —3G **19**
Rawthorpe Cres. *Hud* —2E **35**
Rawthorpe La. *Hud* —3D **34**
Rawthorpe Ter. *Hud* —2E **35**
Ray Gate. *Hud* —2H **31**
Ray Ga. *N Mill* —6A **56**
Rayner Av. *Heck* —6H **5**
Rayner Dri. *Brigh* —2A **10**
Rayner Rd. *Brigh* —2A **10**
Rayners Av. *Liv* —2A **12**
Raynor Clo. *Hud* —3E **33**
Ray St. *Hud* —3B **34**
Reap Hirst Rd. *Hud* —6F **21**
Recreation La. *Ell* —2A **20**
Rectory Clo. *Mars* —4F **41**
Rectory Dri. *Bat* —3C **6**
Rectory Dri. *Hud* —3H **35**
Rectory Garden. *Eml* —5F **51**
Rectory La. *Eml* —5F **51**
Rectory View. *Dew* —5G **27**
Red Deer Pk. La. *Grng M* —5A **38**
Reddisher Rd. *Mars* —3E **41**
Red Doles La. *Hud* —1C **34**
Red Doles Rd. *Hud* —6C **22**
Redfearn Av. *Heck* —1H **13**
Redhill Av. *Ting* —1E **17**
Redhill Clo. *Ting* —1E **17**
Redhill Cres. *Ting* —1E **17**
Redhill Dri. *Ting* —1E **17**
Red Laithes Ct. *Dew* —2A **26**
Red Laithes La. *Dew* —2A **26**
Redland Dri. *Kbtn* —5C **48**
Redlands Clo. *Mir* —1E **25**
Red La. *Mel* —4A **52**
Redwood Dri. *Hud* —3D **22**
Redwood Gro. *Hud* —4C **34**
  (off Highroyd La.)
Reed St. *Hud* —3F **33**
Reeth Rd. *Brigh* —6G **9**
Reform St. *Gom* —3F **5**
Regency Rd. *Mir* —4E **25**
Regent Clo. *Brigh* —2G **21**
Regent Ho. *Ell* —1B **20**
Regent Rd. *Hud* —3G **33**
Regent Rd. *Khtn* —6A **24**
Regent St. *Heck* —3G **13**
Regent St. *Horb* —6F **29**
Regent St. *Mir* —5E **25**
Reins Rd. *Brigh* —6G **9**
Reins Ter. *Hon* —6A **46**
Reinwood Av. *Hud* —3D **32**
Reinwood Rd. *Hud* —4D **32**
Reservoir Pl. *Dew* —5C **14**
Reservoir Rd. *Bat* —2B **14**
Reservoir Side Rd. *Mel* —5A **44**
Reservoir St. *Dew* —5C **14**
Reservoir View. *Skelm* —4E **59**
Reuben St. *Liv* —1E **13**
Revel Garth. *Den D* —3G **67**
Rhodes Av. *Heck* —6H **5**
Rhodes St. *Liv* —2G **13**
Rice St. *Hud* —4B **34**
Richard Pl. *Brigh* —2A **10**
  (off Richard St.)
Richard St. *Brigh* —2A **10**
Richard Thorpe Av. *Mir* —3F **25**
Richmond Av. *Hud* —6A **22**
Richmond Ct. *Hud* —1B **44**
Richmond Flats. *Hud* —3B **34**
  (off Leeds Rd.)

Richmond Garth. *Oss* —4F **29**
Richmond Lea. *Mir* —2E **25**
Richmond Rd. *Bat* —4F **15**
Richmond Rd. *Heck* —6A **6**
Richmond St. *Cleck* —5B **4**
Riddings Clo. *Hud* —5D **22**
Riddings Rise. *Hud* —5D **22**
Riddings Rd. *Hud* —5D **22**
Ridge Av. *M'twn* —3H **39**
Ridge Clo. *Hud* —1A **46**
Ridge Clo. *Skelm* —5G **59**
Ridge Cres. *M'twn* —4H **39**
Ridge Hill. *Brigh* —5G **9**
Ridge Lea. *Brigh* —5H **9**
Ridge St. *Hud* —1A **46**
Ridgeview. *Ell* —2E **21**
Ridge View Dri. *Bir* —6F **21**
Ridge View Rd. *Brigh* —5H **9**
Ridgeway. *Hud* —3E **35**
Ridgeway Dri. *Bat* —3C **6**
Ridgeway Gdns. *Brigh* —1G **9**
Ridgeways, The. *Lint* —3H **43**
Ridings Fields. *Broc* —3G **55**
Ridings La. *Gol* —6G **31**
Ridings La. *H'frth* —1G **63**
Ridings Rd. *Dew* —6F **15**
Riding St. *Bat* —6A **6**
Ridings Wood. *Hud* —4H **35**
Ridingwood Rise. *Clay W*
  —4C **60**
Rifle St. *Hud* —5B **34**
Rightox Rd. *Broc* —3G **55**
Riley La. *Kbtn* —1G **57**
Riley Pk. *Kbtn* —6D **48**
Riley St. *Hud* —5B **34**
Rillside. *Shep* —5H **57**
Ringwood Edge. *Ell* —2H **19**
Rink Pde. *Bat* —3F **15**
  (off Rink St.)
Rink St. *Bat* —3F **15**
Rink Ter. *Bat* —3F **15**
Ripley Rd. *Liv* —2D **12**
Ripon Av. *Hud* —6A **22**
Ripon Ho. *Ell* —1B **20**
Ripon Rd. *Dew* —6H **15**
Risedale Av. *Birs* —2D **6**
Risedale Clo. *Birs* —2D **6**
Rishworth Av. *Eml* —6F **51**
Rishworth Rd. *Dew* —6F **15**
Rishworth St. *Dew* —6F **15**
River Holme View. *Broc* —4G **55**
River Pk. *Hon* —1D **54**
Riverside. *Clay W* —4C **60**
Riverside Ct. *H'frth* —6A **62**
Riverside Ind. Est. *Dew* —1E **27**
Riverside Way. *Raven* —3A **26**
River St. *Brigh* —5C **10**
River Valley View. *Den D* —2G **67**
  (off Miller Hill)
River View. *Mir* —1E **25**
Road End. *G'lnd* —1G **19**
Roaine Dri. *H'frth* —4F **63**
Roberson Ter. *Gom* —4E **5**
Robert Ct. *Liv* —3E **13**
Robert La. *H'frth* —1G **63**
Robertson Av. *Brigh* —6A **10**
Robert's St. *Cleck* —5A **4**
Roberttown Grange *Liv* —4C **12**
  (off School St.)
Roberttown La. *Liv* —5C **12**
Robin Clo. *Dew* —4D **14**
Robin Hill. *Bat* —4C **6**
Robin Hood Gro. *Hud* —4C **22**
Robin Hood Hill. *Hud* —5H **45**
Robin Hood Rd. *Hud* —4C **22**
Robin Hood Way. *Brigh* —4E **11**

Robin La. *Dew* —3B **14**
Robin Rocks. *Broc* —4G **55**
Robin Royd Av. *Mir* —6E **13**
Robin Royd Croft. *Mir* —6E **13**
Robin Royd Dri. *Mir* —6E **13**
Robin Royd Garth. *Mir* —6E **13**
Robin Royd Gro. *Mir* —6E **13**
Robin Royd La. *Mir* —1E **25**
Robinson La. *Hon* —3F **55**
Robinson St. *Hud* —5B **34**
Robin St. *Hud* —5F **33**
Rochdale Rd. *G'lnd* —1B **18**
Rochdale Rd. *Hud* —5C **30**
Rochester Pl. Ell —2B **20**
(off Savile Rd.)
Rochester Rd. *Birs* —1A **6**
Rock Edge. *Liv* —1E **13**
Rock Fold. *Gol* —6H **31**
Rockhill Clo. *Bat* —3B **6**
Rock Ho. Dri. *Dew* —4E **15**
Rock La. *Slai* —1D **42**
Rockley Clo. *Hud* —6E **35**
Rockley St. *Dew* —6F **15**
Rockmill Rd. *Hon* —4G **55**
Rock Rd. *Hud* —6D **20**
Rock St. *Brigh* —3A **10**
Rock St. *Hud* —4A **32**
Rock Ter. *Hud* —1D **32**
Rock, The. *Lint* —3A **44**
Rock View. *Holy G* —4G **19**
Rock View. *Mars* —5F **41**
Rockwood Clo. *Hud* —2E **23**
Rockwood Rise. *Den D* —1G **67**
Rodley La. *Eml* —5F **51**
Roebuck St. *Birs* —3B **6**
Roger La. *Hud* —1B **46**
Rogerson Sq. *Brigh* —3A **10**
Roman Av. *Hud* —1H **31**
Roman Clo. *Hud* —1H **31**
Roman Dri. *Hud* —1H **31**
Roman Rd. *Bat* —4B **6**
Romford Av. *Morl* —1H **7**
Romsey Clo. *Hud* —1B **32**
Rookery La. *Hal* —3A **8**
Rookery Pl. *Brigh* —3B **10**
Rooks Av. *Cleck* —4A **4**
Rook St. *Hud* —3A **34**
Rose Av. *Cow* —1B **44**
Rose Av. *Mar* —4E **33**
Rosebank St. *Bat* —6C **6**
Rosebery Av. *Hal* —2A **8**
Rosebery St. *Ell* —2B **20**
Rosebery St. *Hud* —1H **33**
Rosedale Av. *Harts* —4D **62**
Rosedale Av. *Hud* —5E **35**
Rosegarth Av. *H'frth* —1G **63**
Rose Hill Dri. *Holy G* —1G **33**
Roselee Clo. *Sid* —3A **8**
Rosemary Clo. *Brigh* —5A **10**
Rosemary Gro. *Hal* —3A **8**
(in two parts)
Rosemary La. *Brigh* —6A **10**
Rosemary La. *Sid* —3A **8**
Rosemary Ter. *Hal* —3A **8**
Rose Mt. *Hud* —1F **33**
Rosemount Av. *Ell* —2C **20**
Rosemount Ter. *Ell* —2C **20**
Roseville Ter. *Dew* —6H **15**
Roslyn Av. *Hud* —5E **45**
Rossefield Av. *Hud* —1G **33**
Rosslyn Ct. *Dew* —1H **27**
Rotcher La. *Slai* —4C **42**
Rotcher Rd. *H'frth* —3E **63**
Rothwell St. *Hud* —4E **35**
Round Hill La. *Hud* —4G **23**
Round Ings Rd. *Outl* —3D **30**

Roundway. *Hon* —2D **54**
Roundway, The. *Morl* —1G **7**
Roundwell Rd. *Liv* —1A **12**
Round Wood Av. *Hud* —4G **35**
Roundwood Crest. *Wake* —3H **29**
Roundwood Ind. Est. *Oss*
—3H **29**
Roundwood Rd. *Oss* —4G **29**
Rouse Mill La. *Bat* —2F **15**
Rouse St. *Liv* —2E **13**
Rowan Av. *Neth* —6F **45**
Rowan Av. M. *Neth* —6F **45**
Rowan Clo. *Birs* —2C **6**
Rowan Dri. *Brigh* —3C **10**
Row Gate. *Shep* —1F **65**
Rowgate. *Up Cum* —2A **66**
Rowlands Av. *Hud* —4F **35**
Row La. *Slai* —4A **42**
Rowley Dri. *Fen B* —1B **48**
Rowley La. *Fen B* —2B **48**
Row St. *Hud* —6G **33**
Royal Ter. *Hud* —5C **32**
Royd Av. *Ain T* —5C **20**
Royd Av. *Heck* —6H **5**
Royd Av. *Lgwd* —5C **32**
Royd Croft. *Hud* —4D **32**
Royd Edge. *Mel* —6D **53**
Roydfield St. *Hud* —6B **22**
Royd Head Farm. *Oss* —3C **28**
Royd Ho. La. *Lint* —3H **43**
Royd La. *Holmb* —6B **62**
Royd Mt. *H'frth* —4E **63**
Royd Rd. *Mel* —6E **53**
Royds Av. *Hud* —4E **33**
Royds Av. *Lint* —2H **43**
Royds Av. *N Mill* —2H **63**
Royds Av. *Oss* —6C **16**
Royds Clo. *N Mill* —2H **63**
Royds Dri. *N Mill* —2H **63**
Royds Pk. *Den D* —2G **67**
Royds St. *Mars* —5F **41**
Royds, The. *Clay W* —3E **61**
Royds, The. *H'frth* —4E **63**
Royd St. *Hud* —5B **32**
Royd St. *Slai* —3D **42**
Royds View. *Lint* —3H **43**
Royd Ter. *Arm B* —4G **45**
Royd Wood. *Cleck* —6B **4**
Royle Fold. *Heck* —2H **13**
Royles Head La. *Lgwd* —4A **32**
Ruby St. *Hud* —6C **6**
Rudding Dri. *Bat* —6B **6**
Rudding St. *Hud* —6F **33**
Rufford Rd. *Ell* —2B **20**
Rufford Rd. *Hud* —5B **32**
Rumble Rd. *Dew* —5H **15**
Rumbold Rd. *Hud* —3F **33**
Runtlings. *Oss* —3C **28**
Runtlings La. *Oss* —4C **28**
Runtlings Ter. *Oss* —3C **28**
Runtlings, The. *Oss* —3B **28**
Rushbearers Wlk. *Hud* —6F **35**
Rushfield Vale. *Fen B* —6A **36**
Ruskin Gro. *Hud* —5D **22**
Russell Clo. *Bat* —1E **15**
Russell Clo. *Heck* —3A **14**
Russell St. *Dew* —5C **14**
Russet Fold. *Liv* —2E **13**
Russett Gro. *Hud* —1B **46**
Rustic Av. *Hal* —2C **8**
Ruth St. *Hud* —2A **46**
Rutland Rd. *Bat* —6F **7**
Rutland Rd. *Floc* —1E **51**
Rutland Rd. *Hud* —5C **32**
Rutland Wlk. Dew —6D **14**
(off Boothroyd La.)

Ryburn Rd. *Hud* —3D **32**
Rydal Dri. *Hud* —4D **34**
Rydale Ct. *Oss* —4D **28**
Rydal Gro. *Liv* —5E **13**
Rydings Av. *Brigh* —3A **10**
Rydings Clo. *Brigh* —3H **9**
Rydings Dri. *Brigh* —3H **9**
Rydings, The. Brigh —3A **10**
(off Rydings Av.)
Rydings Wlk. *Brigh* —3H **9**
Rydings Way. *Brigh* —3H **9**
Ryebank. *H'frth* —4F **63**
Ryecroft Dri. *Hud* —1C **32**
Ryecroft La. *Brigh* —6C **10**
Ryecroft La. *H'frth* —5G **63**
Ryecroft St. *Oss* —1C **28**
Ryedale. *Hud* —6H **23**
Ryedale M. Oss —2D **28**
(off Ryedale Ct.)
Ryefields. *Sch* —4H **63**
Ryefields Av. *Hud* —5C **32**
Ryefields Rd. *Gol* —6A **32**
Ryndleside. *Hud* —1C **32**

Sackville St. *Raven* —2A **26**
Saddleworth Rd. *Bklnd & Ell*
—3A **18**
St Aiden's Wlk. *Oss* —4G **29**
St Alban's Av. *Hud* —5C **20**
St Andrews Av. *Morl* —1G **7**
St Andrews Clo. *Morl* —1G **7**
St Andrew's Ct. *Slai* —3B **42**
St Andrews Dri. *Brigh* —2A **10**
St Andrews Dri. *Hud* —2A **36**
St Andrews Gro. *Morl* —1H **7**
St Andrew's Rd. *Hud* —5C **34**
St Anne's Av. *Hud* —5C **20**
St Anne's Clo. *Dew* —4F **27**
St Anne's Pl. *Holy G* —4C **18**
St Barnabas Rd. *Liv* —1A **12**
St Bartholomews Ct. *Wake*
—4H **29**
St Chad's Av. *Brigh* —1G **9**
St Francis Gdns. *Fix* —3A **22**
St George's Av. *Hud* —5C **20**
St George's Rd. *Sch* —4H **63**
St George's Sq. *Hud* —4A **34**
St Georges Sq. *Outl* —2F **31**
St Georges St. *Hud* —4A **34**
St Giles Clo. *Brigh* —1G **9**
St Giles Rd. *Brigh* —1G **9**
St Helens Av. *Hud* —2G **47**
St Helens Sq. Holy G —4G **19**
(off Station Rd.)
St James Ct. *Brigh* —3B **10**
St James Rise. *Wake* —4H **29**
St James's Rd. *Hud* —3F **33**
St James St. *Bat* —1E **15**
St James St. *Heck* —3H **13**
St John Pde. *Dew* —6D **14**
St John's Av. *Bat* —6C **6**
St John's Av. *Khtn* —1A **36**
St John's Av. *New* —2A **46**
St John's Av. *Oss* —3G **29**
St John's Clo. *Cleck* —5C **4**
(in two parts)
St Johns Clo. *Dew* —6D **14**
St John's Clo. *Oss* —3G **29**
St John's Ct. *H'frth* —4C **62**
St John's Ct. *Lep* —1D **48**
St John's Cres. *Hud* —2A **34**
St John's Cres. *Oss* —3F **29**
St John's Dri. *Hud* —2A **34**
St John's Pl. *Cleck* —5C **4**
St John's Rd. *Hud* —2A **34**

St John's Rd. *Khtn* —1A **36**
St John St. *Brigh* —5A **10**
St John St. *Dew* —6D **14**
St John's View. *Bat* —6C **6**
St John Wlk. *Dew* —6D **14**
St Leonards Yd. *Horb* —6G **29**
St Lukes Clo. *Bat* —2G **15**
St Luke's Clo. *Cleck* —5A **4**
St Lukes Clo. *Far T* —6E **47**
St Luke's Ter. Cleck —5A **4**
(off St Luke's Clo.)
St Mark's Rd. *Hud* —4C **32**
St Mark's View. *Lgwd* —4C **32**
St Martin's View. *Brigh* —3A **10**
St Mary's Av. *Bat* —3D **14**
St Mary's Av. *Mir* —2G **25**
St Mary's Av. *Nthng* —6D **54**
St Mary's Cres. *Nthng* —6D **54**
St Mary's Ga. *Ell* —1B **20**
St Mary's La. *Hud* —3A **36**
St Mary's M. *Hon* —1D **54**
St Mary's Pl. *Dew* —2F **27**
St Mary's Rise. *Nthng* —6D **54**
St Mary's Rd. *Hon* —1D **54**
St Mary's Rd. *Nthng* —6D **54**
St Mary's Sq. *Hon* —1D **54**
St Mary's Wlk. *Mir* —2G **25**
St Mary's Way. *Nthng* —6D **54**
St Matthew Rd. *Dew* —6D **14**
St Michael's Clo. *Dew* —6D **14**
St Michael's Clo. *Eml* —5F **51**
St Michael's Gdns. *Eml* —5F **51**
St Michael's Mt. *Dew* —6G **27**
St Oswalds Pl. *Oss* —1E **29**
St Paulinus Clo. *Dew* —6D **14**
St Pauls Rd. *Hud* —2H **35**
St Paul's Rd. *Mir* —4E **25**
St Paul's St. *Hud* —5B **34**
St Paul's Ter. *Mir* —4E **25**
St Peg Clo. *Cleck* —5C **4**
St Peg La. *Cleck* —5C **4**
St Peter's Clo. *Birs* —3H **5**
St Peter's Clo. *Mir* —3D **24**
St Peters Cres. *Hud* —2H **35**
St Peter's Gdns. *Dew* —1H **27**
St Peters Ga. *Oss* —1D **28**
St Peter's Gro. *Horb* —6H **29**
St Peter's Pde. *Dew* —1H **27**
St Peter's St. *Hud* —4A **34**
St Philip's Clo. *Dew* —5F **15**
St Philips Ct. *Hud* —6D **20**
St Stephen's Rd. *Hud* —6H **33**
St Thomas Rd. *Hud* —5H **33**
Salisbury Clo. *Dew* —6H **15**
Salterhebble Hill. *Hal* —3A **8**
Salter St. *Bat* —4D **14**
Sampson St. *Liv* —2F **13**
Sandal Way. *Birs* —3B **6**
Sandbeds. *Hon* —6H **45**
Sandbeds Trading Est. *Oss*
—1E **29**
Sandene Av. *Hud* —2E **45**
Sandene Dri. *Hud* —2E **45**
Sandhills Cotts. *Mars* —2H **41**
Sandholme Dri. *Oss* —3D **28**
Sandiway Bank. *Dew* —5F **27**
Sandmoor Dri. *Hud* —1D **32**
Sandringham Ct. *Hud* —3E **23**
Sands Ho. La. *Hud* —3D **44**
Sands La. *Dew* —1F **27**
Sands La. *Lep* —4D **36**
Sands La. *Mir* —4H **25**
Sands Rd. *Dew* —2G **27**
Sandstone Clo. *Hon* —3D **54**
Sand St. *Hud* —5B **34**
Sandwell St. *Slai* —3D **42**

Sandwich Cres. *Hud* —5H **21**
Sandyfield Ter. *Bat* —6D **6**
  (off Bradford Rd.)
Sandyfoot. *Bklnd* —4A **18**
Sandy Ga. *H'frth* —4G **63**
Sandylands. *Neth* —6F **45**
Sandy La. *S Cro* —6C **44**
Sapphire Ct. *Bat* —6C **6**
Saunders Clo. *Hud* —3E **33**
Savile Clo. *Brigh* —3D **10**
Savile Ct. *Mir* —2E **25**
Savile Ct. *Raven* —3A **26**
Savile Dri. *Horb* —6G **29**
Savile Gro. *Dew* —1E **27**
Savile La. *Brigh* —3D **10**
Savile M. *Dew* —3E **27**
Savile Pk. Rd. *Cleck* —1B **4**
Savile Pit La. *Dew* —5A **16**
Savile Pl. *Mir* —1E **25**
Savile Rd. *Dew* —3E **27**
Savile Rd. *Ell* —2B **20**
Savile Rd. *Hud* —2E **33**
Savile Sq. *Mir* —3E **25**
  (off Beech St.)
Savile St. *Dew & Bat* —4F **15**
Savile St. *Hud* —5C **32**
Savile Way. *Lfds B* —6C **8**
Saville Av. *Eml* —5F **51**
Saville Clo. *Eml* —5F **51**
Saville Ct. *Kbtn* —6A **48**
  (Storthes Hall La.)
Saville Ct. *Kbtn* —5D **48**
  (off Ashford Ct.)
Saville Rd. *Skelm* —4G **59**
Saville St. *Cleck* —3B **4**
Saville St. *Eml* —5F **51**
Saville St. *Oss* —4F **29**
Saville St. *Scis* —5B **60**
Saville Wlk. *Dew* —6E **15**
  (off Swindon Rd.)
Saxon Clo. *Eml* —6E **51**
Saxondale Ct. *Horb* —6H **29**
Saxton Pl. *Hud* —6G **35**
Saxton St. *Liv* —1G **13**
Scafell Ct. *Dew* —4G **15**
Scale Hill. *Hud* —6A **22**
Scaly Ga. *H'frth* —6C **64**
Scaly Ga. *N Mill* —3C **64**
Scape View. *Gol* —6A **32**
Scarborough St. *Dew* —2F **27**
Scarborough Ter. *Dew* —2F **27**
Scarborough Ter. *Ell* —2B **20**
Scar Bottom La. *G'lnd* —1D **18**
Scar End La. *H'frth* —4C **64**
Scarfold. *H'frth* —3E **63**
Scar Gro. *Hud* —2H **45**
Scar Hole La. *H'frth* —4B **64**
Scarhouse La. *Gol* —6A **32**
Scar La. *Gol & Hud* —6A **32**
Scarr End La. *Earl* —3H **27**
Scarr End La. *M'end* —4B **14**
Scarr End View. *Mel* —4B **14**
Scarr Grn. Clo. *Mel* —4D **52**
Scar Top. *Gol* —6A **32**
Scar Top La. *Hud* —6F **45**
Scatcherd La. *Morl* —1H **7**
Schofield La. *Hud* —4D **34**
Scholes Moor Rd. *H'frth* —6G **63**
Scholes Rd. *Hud* —6A **22**
Scholes Rd. *N Mill* —4A **64**
Scholey Av. *Brigh* —6A **10**
Scholey Rd. *Brigh* —6A **10**
School Av. *Dew* —5B **14**
School Cres. *Dew* —5B **14**
School Gro. *Dew* —5B **14**
School Hill. *Kbtn* —6D **48**

School Hill. *S Cro* —5C **44**
School La. *Ber B* —4H **45**
School La. *Den D* —2G **67**
School La. *Dew* —5B **14**
School La. *Eml* —5F **51**
School La. *Gol* —4F **31**
School La. *Harts* —4B **12**
School La. *Khtn* —3H **35**
School La. *Mars* —6A **42**
School La. *Pad* —5G **33**
School La. *S'wram* —3C **8**
School Rd. *Gol* —4F **31**
School St. *Birs* —3B **6**
School St. *Chick* —6B **16**
School St. *Cleck* —6A **4**
School St. *Dew* —6E **15**
School St. *G'lnd* —1F **19**
School St. *H'frth* —3E **63**
School St. *Hon* —2D **54**
School St. *Hud* —5D **34**
School St. *Nthng* —6E **55**
School St. *Norr* —4F **13**
School St. *Oss* —5C **16**
School St. *Raven* —3A **26**
School St. *Rbtwn* —4C **12**
School St. *Ting* —1D **16**
School St. W. *Hud* —2D **32**
School Ter. *Shel* —3A **58**
Scopsley Grn. *W'ley* —2A **38**
Scopsley La. *W'ley* —1H **37**
Score Croft. *Skelm* —4G **59**
Scotchman Clo. *Morl* —2H **7**
Scotchman La. *Morl* —5F **7**
Scotgate Rd. *Hon* —1B **54**
Scotland St. *Birs* —2G **5**
Scott Av. *Heck* —6H **5**
Scott Hill. *Clay W* —3D **60**
Scott La. *Cleck* —4C **4**
Scott La. *Gom* —3F **5**
Scott La. *Morl* —2F **7**
Scott Vale. *Hud* —5D **22**
Scotty Bank. *Brigh* —4A **10**
  (off Bridge End)
Scotty Croft La. *Brigh* —5A **10**
  (off Bramston St.)
Scout Hill Rd. *Dew* —2C **26**
Scout Hill Ter. *Dew* —2C **26**
  (off Scout Hill Rd.)
Scout Hill View. *Dew* —2C **26**
  (off Scout Hill Rd.)
Scout La. *Slai* —3A **42**
Sculptor Pl. *Brigh* —3A **10**
  (off Waterloo Rd.)
Seagrave Rd. *Hud* —1E **45**
Second Av. *Gol* —6H **31**
Second Av. *Hud* —3F **35**
Second Av. *Liv* —2H **11**
Sedgewick St. *Birs* —3A **6**
Sefton Av. *Brigh* —1H **9**
Sefton Cres. *Brigh* —1H **9**
Sefton Dri. *Brigh* —1H **9**
Sefton La. *Mel* —4D **52**
Sefton Rise. *Dew* —4F **27**
Selbourne Av. *Dew* —3E **27**
Selbourne Dri. *Dew* —3E **27**
Selbourne Rd. *Dew* —3E **27**
Selene Clo. *Gom* —2G **5**
Selso Rd. *Dew* —5H **15**
Senior St. *Dew* —1D **26**
Senior St. *Hud* —5E **35**
Sentry. *Hon* —1C **54**
Sergeantson St. *Hud* —4A **34**
Serpentine Rd. *Cleck* —4B **4**
Seventh Av. *Liv* —1H **11**
Seymour Wlk. *Mel* —4E **53**
Shaftesbury Av. *Brigh* —1B **22**

Shakespeare Bldgs. *Mar* —4F **33**
  (off Eldon Rd.)
Shambles, The. *Hud* —4A **34**
Shannon Clo. *Brigh* —1G **21**
Shannon Dri. *Hud* —1H **31**
Shannon Rd. *Brigh* —1G **21**
Share Hill. *Gol* —6G **31**
Sharon Cotts. *Oss* —1D **28**
  (off Northfield Rd.)
Sharpe St. *Heck* —3H **13**
Sharp La. *Hud* —2F **47**
Sharp Royd. *Hud* —6G **35**
Sharp St. *Dew* —5F **15**
Shaw Clo. *Holy G* —4G **19**
Shawfield Av. *H'frth* —4B **62**
Shaw Fields La. *Slai* —4A **42**
Shaw Ga. *Slai* —6C **42**
Shaw La. *Ell* —6E **9**
Shaw La. *Gol* —3F **31**
Shaw La. *H'frth* —4B **62**
Shaw La. *Holy G* —4F **19**
Shaw La. *Hud* —1F **31**
  (New Hey Rd.)
Shaw La. *Hud* —6D **32**
  (New St.)
Shaw La. *Kbtn* —1G **57**
Shaw's Ter. *Mars* —4F **41**
Shaw St. *Cleck* —5A **4**
Shaw St. *Holy G* —4G **19**
Shaw St. *Mir* —3E **25**
Sheardale. *Hon* —2C **54**
Shearing Cross Gdns. *Hud*
  —2B **34**
Sheepridge Gro. *Hud* —5C **22**
Sheepridge Rd. *Hud* —5C **22**
Sheffield Rd. *N Mill & Jack B*
  —2A **64**
Sheila Ter. *Heck* —3G **13**
Shelley Av. *Heck* —4A **14**
Shelley La. *Kbtn* —1H **57**
Shelley Woodhouse La. *Shel*
  —4D **58**
Shepherds Gro. *Hud* —5E **23**
Shepherds Thorn La. *Brigh & Hud*
  —1B **22**
Shepley Mt. *Mir* —1F **25**
Shepley Rd. *Stkmr* —4E **57**
Sherburn Rd. *Brigh* —6F **9**
Sherwood Av. *Gom* —4F **5**
Sherwood Av. *Hud* —3F **23**
Sherwood Clo. *Dew* —3B **14**
Sherwood Clo. *Gom* —4F **5**
Sherwood Dri. *Hud* —6E **45**
Sherwood Rd. *Brigh* —4C **10**
Shibden Dri. *Bat* —6B **6**
Shill Bank Av. *Mir* —2H **25**
Shill Bank La. *Mir* —2G **25**
Shill Bank View. *Mir* —2G **25**
Ship St. *Brigh* —4B **10**
Shires Hill. *Hud* —5G **33**
Shirley Av. *Birs* —2H **5**
Shirley Av. *Gom* —4F **5**
Shirley Gro. *Gom* —4F **5**
Shirley Mt. *Gom* —4F **5**
Shirley Pde. *Gom* —4E **5**
Shirley Pl. *Gom* —4F **5**
Shirley Rd. *Gom* —5F **5**
Shirley Sq. *Gom* —4F **5**
Shirley Ter. *Gom* —4F **5**
Shirley Wlk. *Gom* —4F **5**
Shop La. *Hud* —2A **36**
Short St. *Dew* —1A **28**
Sickleholme Ct. *Hud* —3E **23**
Sickle St. *Cleck* —4C **4**
Siddal Gro. *Hal* —2A **8**
Siddal La. *Hal* —2A **8**

Siddal New Rd. *Hal* —1A **8**
Siddal Pl. *Hal* —3A **8**
Siddal St. *Hal* —3A **8**
Siddal Top La. *Hal* —2A **8**
Siddal View. *Hal* —2A **8**
Siddon Dri. *Hud* —1G **47**
Side La. *Lgwd* —4B **32**
Sigott St. *Hud* —4B **32**
Sike La. *H'frth* —4G **63**
Sikes Clo. *Hud* —1F **47**
Silverdale Ter. *G'lnd* —2E **19**
Silver St. *Hud* —5C **34**
Silver St. E. *Hud* —5C **34**
Simon Grn. Rd. *Slai* —1F **43**
Sion Hill. *Sid* —3A **8**
Sixth Av. *Liv* —1H **11**
Skelmanthorpe Bus. Pk. *Skelm*
  —4G **59**
Skelton Cres. *Hud* —1D **34**
Skipton Av. *Hud* —6B **22**
Skipton St. *Bat* —3E **15**
Slack La. *H'frth* —3F **63**
Slack La. *Outl* —2E **31**
Slacks La. *Slai* —6C **42**
Slack Ter. *Cumb* —6D **64**
Slack Top La. *Cumb* —6E **65**
Slade Ct. *Kbtn* —6H **47**
Slade La. *Brigh* —2H **21**
Slades La. *H'frth* —1D **52**
Slades Rd. *Gol* —6F **31**
Slade Wlk. *Bat* —3B **6**
Slaithwaite Av. *Dew* —4E **27**
Slaithwaite Clo. *Dew* —4E **27**
Slaithwaite Ga. *Slai* —6E **31**
Slaithwaite Rd. *Dew* —4E **27**
Slaithwaite Rd. *Mel* —1A **52**
Slant Ga. *Kbtn* —5C **48**
Slant Ga. *Lint* —2A **44**
Slead Av. *Brigh* —2H **9**
Slead Ct. *Brigh* —2H **9**
Slead Cres. *Brigh* —2H **9**
Slead Gro. *Brigh* —2H **9**
Slead Royd. *Brigh* —2H **9**
Slead View. *Brigh* —2H **9**
Slipper La. *Mir* —6C **12**
Small La. *Gol* —6H **31**
Smallwood Gdns. *Dew* —3B **16**
Smallwood Rd. *Dew* —3A **16**
  (in two parts)
Smeeton Gdns. *Hud* —5A **34**
Smith Cres. *Hud* —6G **9**
Smith Ho. Av. *Brigh* —1A **10**
Smith Ho. Cres. *Brigh* —1A **10**
Smith Ho. Gro. *Brigh* —1A **10**
Smith Ho. La. *Brigh* —1A **10**
Smithies La. *Birs* —3A **6**
Smithies La. *Heck* —4H **13**
Smithies Moor Clo. *Bat* —5B **6**
Smithies Moor Cres. *Bat* —4B **6**
Smithies Moor La. *Bat* —4A **6**
Smithies Moor Rise. *Bat* —4B **6**
Smith Rd. *Dew* —5B **14**
Smiths Av. *Hud* —3E **33**
Smith St. *Liv* —3F **13**
Smith Way. *Oss* —1E **29**
Smithy Brook La. *Dew* —1H **39**
Smithy Carr La. *Brigh* —2A **10**
Smithy Clo. *Skelm* —5G **59**
Smithy Hill. *Up Den* —5F **67**
Smithy La. *H'frth* —6A **62**
Smithy La. *Hud* —5C **34**
Smithy La. *Ove* —4H **39**
Smithy La. *Skelm* —5G **59**
Smithy Pde. *Dew* —1G **39**
Smithy Pl. La. *Broc* —4F **55**

Smithy Wlk. *Dew* —1H **39**
Snapethorne Ga. *Wake* —4H **29**
Snelsins La. *Cleck* —3A **4**
Snelsins Rd. *Cleck* —3A **4**
Snowdon St. *Bat* —2D **14**
Solway Rd. *Bat* —1H **15**
Somerset Av. *Brigh* —1B **22**
Somerset Rd. *Hud* —5C **34**
Soothill La. *Bat* —2F **15**
Sorbus Way. *Lep* —1C **48**
South Av. *Cow* —1B **44**
South Av. *Far* —6B **22**
S. Bank Rd. *Bat* —6C **6**
Southcliffe. S'wram —1A **8**
(off Bank Top)
South Croft. *Up Den* —5F **67**
S. Cross Rd. *Hud* —6H **21**
Southdale Gdns. *Oss* —3E **29**
Southdale Rd. *Oss* —3E **29**
Southdene. *Hud* —5E **35**
Southern Rd. *Hud* —1C **44**
Southfield Ct. *Kbtn* —5D **48**
Southfield Rd. *Hud* —1F **47**
Southgate. *Ell* —1B **20**
Southgate. *Holy G* —5G **19**
Southgate. *Hon* —2D **54**
Southgate. *Hud* —4B **34**
South Gro. *Brigh* —1G **9**
S. Holme La. *Brigh* —2G **9**
Southlands. *Khtn* —1H **35**
Southlands Dri. *Hud* —5A **22**
Southowram Bank. *Hal* —1A **8**
South Pde. *Cleck* —4A **4**
South Pde. *Ell* —3A **20**
South Pde. *Oss* —4G **29**
South Pde. *Slnd* —5D **18**
South St. *Brigh* —3A **10**
South St. *Dew* —6E **15**
South St. *H'frth* —2G **63**
South St. *Holy G* —4F **19**
South St. *Liv* —2F **13**
South St. *Mir* —5F **25**
South St. *Neth* —6F **45**
South St. *Oss* —4D **28**
South St. *Pad* —5F **33**
South St. *Sav T* —2E **27**
South Ter. *Dew* —2H **27**
South Ter. *Oss* —5E **29**
South View. *Birs* —3B **6**
South View. *Dew* —2F **27**
South View. *Gol* —5F **31**
South View. *Hal* —2A **8**
South View. *Hud* —5F **33**
South View. *N Mill* —6H **64**
South View. *S'wram* —2C **8**
S. View Gro. *Gom* —5F **5**
S. View Ter. Dew —4D **14**
(off Tate Naylor St.)
Southway. *Hud* —1E **33**
Southway. *Mir* —1D **24**
Southwell Av. *Hud* —3D **32**
Southwood Av. *Hon* —1F **55**
Sovereign Clo. *Birs* —3B **6**
Sovereign's Way. *Dew* —5D **26**
Sowood Av. *Oss* —5F **29**
Sowood Gdns. *Oss* —5F **29**
Sowood La. *Grng M & Bstfld*
—5B **38**
Sowood La. *Oss* —5F **29**
Sowood View. *Oss* —4F **29**
Spa Bottom. *Fen B* —6A **36**
Spa Croft Rd. *Oss* —4G **29**

Spa Fields. *Slai* —3E **43**
Spa Fields Ind. Est. *Slai* —3F **43**
Spa Hill. *Bat* —1E **15**
Spaines Rd. *Hud* —1A **34**
Spa La. *Oss* —4G **29**
Spa La. *Slai* —3F **43**
Sparks Rd. *Hud* —3D **32**
Spark St. *Hud* —4B **32**
Spa St. *Bat* —1E **15**
Spa St. *Oss* —4H **29**
Spa Ter. *FEN B* —5A **36**
Spa Ter. *Hud* —1H **45**
Speakers Ct. *Dew* —6D **14**
Speedwell St. *Hud* —5F **33**
Spen Bank. *Cleck* —5D **4**
Spencer St. *Hud* —1E **25**
Spencer St. *Skelm* —4G **59**
Spencer Ter. *Hud* —5D **22**
Spenfield Ct. *Liv* —4E **13**
Spen La. *Gom* —4D **4**
Spen Vale St. *Heck* —3H **13**
Spen Valley Ind. Pk. *Rawf* —6C **4**
Spen Valley Rd. *Dew* —2A **26**
Spen View. *Dew M* —6B **14**
Spinkfield Rd. *Hud* —2H **33**
Spinkwell Rd. *Dew* —5E **15**
Spinneyfield. *Hud* —5A **22**
Spinney, The. *Brigh* —1A **10**
Spire Ct. *Hud* —2G **33**
(off Ellerslie Clo.)
Spire Ct. *Mar* —3G **33**
Spout Hill. *Brigh* —2G **21**
Spout Ho. La. *Brigh* —1G **9**
Spring Bank. *Liv* —4G **13**
Springbank Cres. *Hud* —1D **34**
Spring Bank Croft. *H'frth* —4B **62**
Spring Bank Dri. *Liv* —4F **13**
Springbank Rd. *Hud* —1D **34**
Spring Dale. *Hon* —1D **54**
Springdale Av. *Hud* —6H **33**
Springdale St. *Hud* —6H **33**
Spring End Rd. *Horb* —5H **29**
Springfield. *Outl* —2F **31**
Springfield Av. *Bat* —1D **14**
Springfield Av. *Clay W* —4C **60**
Springfield Av. *Hon* —3D **54**
Springfield Av. *Slai* —5C **42**
Springfield Clo. *Clay W* —4C **60**
Springfield Dri. *Birds* —4A **66**
Springfield Dri. *Liv* —1A **12**
Springfield Gro. *Brigh* —2A **10**
Springfield La. *Kbtn* —6C **48**
Springfield La. *Liv* —2C **12**
Springfield Mills. *Kbtn* —5B **48**
Springfield Pk. *Mir* —3F **25**
Springfield Rd. *Ell* —1D **20**
Springfield Ter. *Dew* —5E **15**
Springfield Ter. *Eml* —5C **50**
Spring Gdns. *Bat* —1D **14**
Spring Gdns. *Earl* —1G **27**
Spring Gdns. *H'frth* —3C **62**
Spring Gro. St. *Hud* —5A **34**
Spring Head La. *Mars* —4F **41**
Spring La. *Bat* —5D **6**
Spaines La. *Holmb* —6B **62**
Spring La. *H'frth* —4C **62**
Spring La. *N Mill* —3A **64**
Spring Mill La. *Oss* —2F **29**
Spring Rock. *Holy G* —4G **19**
Spring Side Rise. *Gol* —5H **31**
Springstone Av. *Oss* —1D **28**
Spring St. *Brigh* —4A **10**
Spring St. *Dew* —5E **15**
Spring St. *Hud* —4A **34**
Spring St. *Liv* —2F **13**

Spring St. *Mars* —5F **41**
Spring St. *Slai* —4D **42**
Spring Ter. *Holy G* —6C **18**
Spring Valley Clo. Liv —1E **13**
(off Spring Valley St.)
Spring Valley Sq. Liv —1E **13**
(off Spring Valley St.)
Spring Valley St. *Liv* —1E **13**
Spring View. *Oss* —2F **29**
Springwell Rd. *Oss* —3E **29**
Springwell View. *Birs* —3B **6**
Springwood Av. *Hud* —5H **33**
Springwood Footpath. *Hud*
—5H **33**
Springwood Hall Clo. *Hud*
—5G **33**
Springwood Hall Gdns. *Hud*
—4H **33**
Springwood Rd. *H'frth* —6G **55**
Springwood St. *Hud* —5A **34**
Spruce Dri. *Neth* —6F **45**
Spruce Dri. M. *Neth* —6F **45**
Spurrs St. *Bat* —2F **15**
Square Field. *H'frth* —4E **63**
Square, The. *Bat* —6B **6**
Square, The. *Hal* —1A **8**
Square, The. *Shep* —6G **57**
Squirrel Clo. *Dew* —4C **14**
Squirrel Ditch. *Hud* —1C **46**
Squirrel End. *Dew* —4B **14**
Squirrel Hall Dri. *Dew* —3B **14**
Squirrel Wlk. *Dew* —3C **14**
Stadium Way. *Hud* —3C **34**
Stafford Hill La. *Hud* —2A **36**
Stafford St. *Morl* —2H **7**
Staincliffe Clo. *Dew* —6C **14**
Staincliffe Cres. *Dew* —4B **14**
Staincliffe Hall Rd. *Bat* —3B **14**
Staincliffe Rd. *Dew* —4B **14**
Stainecross Av. *Hud* —2E **45**
Staines Croft. *Hud* —4E **35**
Stainland Dean. *Holy G* —2A **30**
Stainland Rd. *Bklnd* —4A **18**
Stainland Rd. *Outl* —2E **31**
(in two parts)
Stainland Rd. *Slnd* —5D **18**
(in two parts)
Stake La. Bank. *H'frth* —3F **63**
Stakes Fold. *Heck* —2A **14**
Stalley Royd La. *H'frth* —4B **64**
Stancliffe Way. *Hud* —1H **35**
Standard Dri. *Hud* —2D **44**
Standiforth La. *Hud* —4F **35**
Standiforth Pl. *Hud* —4F **35**
Standiforth Rd. *Hud* —4D **34**
Stanhope St. *Scis* —5B **60**
Stanley Clo. Hud —3F **33**
(off Luck La.)
Stanley La. *Holy G* —5D **18**
Stanley La. *Liv* —1E **13**
Stanley Pl. *Bat* —1F **15**
Stanley Pl. *Gol* —6H **31**
Stanley Rd. *Ain T* —5C **20**
Stanley Rd. *Lind* —1E **33**
Stanley Rd. *Liv* —4E **13**
Stanley Rd. *Slai* —6B **42**
Stanley St. *Brigh* —3B **10**
Stanley St. *Cleck* —4B **4**
Stanley St. *Hud* —1G **45**
Stannard Well Dri. *Horb* —6H **29**
Stannard Well La. *Horb* —6H **29**
Stannery. *Slnd* —4E **19**
Stanningley Gro. *Heck* —3H **13**
Stanwell Av. *Hud* —1F **33**
Star Ter. *Brigh* —1G **21**
Station App. *Hon* —1F **55**

Station Ct. *Clay W* —3D **60**
Station La. *Ber B* —3H **45**
Station La. *Gol* —1H **43**
Station La. *Heck* —4G **13**
Station La. *Shep* —5H **57**
Station Rd. *Bat* —2F **15**
Station Rd. *Bdly* —3G **23**
Station Rd. *Brigh* —4C **10**
Station Rd. *Chick* —2H **27**
(in two parts)
Station Rd. *Fen B* —1A **48**
Station Rd. *Gol* —6H **31**
Station Rd. *Heck* —3H **13**
Station Rd. *H'frth* —3E **63**
Station Rd. *Holy G* —4F **19**
Station Rd. *Hon* —1E **55**
Station Rd. *Mars* —4F **41**
Station Rd. *Mir* —4E **25**
Station Rd. *Oss* —3D **28**
(in two parts)
Station Rd. *Shep* —6G **57**
Station Rd. *Skelm* —4G **59**
Station Rd. *Slai* —3D **42**
Station Rd. *Stkmr* —4E **57**
Station Rd. *Thorn L* —3E **27**
Station St. *Hud* —4A **34**
Station St. *Mel* —4D **52**
Staynton Cres. *Hud* —3F **23**
(in two parts)
Stead Ga. *Shel* —4D **58**
Stead La. *Hud* —2H **35**
Steanard La. *Mir* —5F **25**
Steele La. *Bklnd* —6A **18**
Steeplands. *Hud* —2F **23**
Steep La. *Hud* —2F **23**
Steeple Av. *Grng M* —6A **38**
Steep Riding. *Broc* —3G **55**
Stephenson Clo. *Dew* —5G **15**
Stewart Ho. Hud —4B **34**
(off Oldgate)
Stile Comn. Rd. *Hud* —6B **34**
Stirley Hill. *Hud* —5B **46**
Stithy St. *Oss* —6C **16**
(in two parts)
Stockerhead La. *Slai* —4E **43**
Stockhill St. *Dew* —6C **14**
Stocksbank Dri. *Mir* —2B **24**
Stocks Bank Rd. *Mir* —1B **24**
Stocks Dri. *Shep* —6F **57**
Stocks La. *Bat* —1E **15**
Stocks La. *Stkmr* —5D **56**
Stocks Moor Rd. *Stkmr* —4C **56**
Stocks Wlk. *Hud* —1F **47**
Stocks Way. *Shep* —6F **57**
Stockwell Dri. *Bat* —6E **7**
Stockwell Hill. *Ber B* —4H **45**
Stockwell Vale. *Arm B* —4H **45**
Stone Acre Heights. *Mel* —5F **53**
Stone Battery Rd. *Hud* —6F **33**
Stonecroft Gdns. *Shep* —6H **57**
Stonefield Av. *Hud* —1D **44**
Stonefield Pl. *Bat* —3B **6**
Stonefield Rd. *Hud* —1D **44**
Stonefield St. *Cleck* —1G **11**
Stonefield St. *Dew* —5E **15**
Stonefleece Ct. *Hon* —3D **54**
Stone Fold. *Dew* —2D **54**
Stone Folds La. *Mars* —2E **41**
Stonegate. *Oss* —5E **29**
Stonehurst Rd. *Mir* —2E **25**
Stonehyrst Av. *Dew* —5F **15**
Stonelea Dri. *Brigh* —1H **21**
Stoneleigh Gro. *Oss* —3D **28**
Stones La. *Gol* —1H **43**
Stones La. *Lint* —5D **66**
Stone St. *Cleck* —5A **4**

Stone Wood La. *Hud* —5E **57**
Stoney Bk. La. *Hud* —2H **45**
Stoney Bank La. *Thon* —6G **55**
Stoney Bank St. *Dew* —2C **26**
Stoney Croft. *Gom* —5F **5**
Stoney Cross St. *Hud* —2H **45**
Stoney Ford La. *Khtn* —1H **35**
Stoney Hill. *Brigh* —4A **10**
Stoney La. *Bat* —6F **7**
Stoney La. *Lgwd* —4A **32**
Stoney La. *Tay H* —2H **45**
Stony Croft La. *Bklnd* —3A **18**
Stony Ga. *H'frth* —6C **62**
Stony Ga. *Clay W* —6B **60**
Stony La. *Hon* —3D **54**
Stony La. *S'wram* —1E **9**
Storth Av. *Hud* —1B **44**
Storthes Hall La. *Kbtn* —1D **56**
Storth Pl. *Hud* —1H **33**
Storths Rd. *Hud* —1G **33**
Stralau St. *Bat* —6E **7**
Stratford Clo. *Gol* —5A **32**
Stratton Rd. *Brigh* —5B **10**
Strawberry Av. *Liv* —2E **13**
Strawberry Bank. *Liv* —2E **13**
Strawberry Sq. Heck —3H **13**
(off Church La.)
Stretch Ga. *Shep* —5H **57**
Strike La. *Skelm* —3F **59**
Stringer Ho. La. *Eml* —5C **50**
Stuart Gro. *Slai* —4E **43**
Stuart Pl. *Hud* —3F **23**
Stubbing La. *Hud* —4C **18**
Stubbin La. *Den D* —2H **67**
Stubbin Rd. *Mars* —4H **41**
Stubley Farm Rd. *Heck* —6H **5**
Stubley Rd. *Heck* —6G **5**
Stubs Beck La. *West I* —2B **4**
Studleigh Ter. Brigh —1G **9**
(off Brooklyn Ter.)
Stunsteds Rd. *Cleck* —4B **4**
Stutely Gro. *Hud* —3E **23**
Sude Hill. *N Mill* —2A **64**
Sude Hill Ter. *N Mill* —2B **64**
Suffolk Av. *Bat* —3C **14**
Suffolk Clo. *Oss* —4C **28**
Suffolk St. *Bat* —2D **14**
Sufton St. *Hud* —1H **33**
Sugar La. *Dew* —5G **15**
Sullivan Clo. *Hud* —1F **45**
Summerbridge Clo. *Bat* —6C **6**
Summerbridge Cres. *Gom* —2G **5**
Summerdale. *Gom* —2F **5**
Summerfield Gro. *Lep* —2B **48**
Summer La. *Eml* —6F **51**
Summer St. *Lock* —6H **33**
Summer St. *Neth* —6F **45**
Summervale. *H'frth* —2E **63**
Sunbury Gro. *Hud* —4E **35**
Sunderland Clo. Brigh —3A **10**
(off Thornhill Bri. La.)
Sunfield Ter. Mar —5C **4**
(off Mayfield Ter.)
Sunningdale Croft. *Hud* —5H **21**
Sunningdale Rd. *Hud* —1F **45**
Sunny Bank. *Bat* —6F **7**
Sunnybank. *Den D* —3F **67**
Sunny Bank. *Gol* —2F **43**
Sunny Bank Av. *Mir* —6E **13**
Sunnybank Cres. *G'lnd* —1F **19**
Sunnybank Dri. *G'lnd* —1F **19**
Sunny Bank Dri. *Mir* —6D **12**
Sunny Bank Grange. Brigh
(off Sunny Bank Rd.) —3A **10**
Sunny Bank Gro. *Mir* —1E **25**

Sunny Bank La. *Bat* —5F **7**
Sunnybank La. *G'lnd* —1F **19**
Sunny Bank La. *S'wram* —1D **8**
Sunny Bank Pde. *Mir* —6D **12**
Sunny Bank Rd. *Brigh* —4A **10**
Sunnybank Rd. *G'lnd* —1E **19**
Sunnybank Rd. *Hud* —2F **33**
Sunny Bank Rd. *Mel* —4C **52**
Sunny Bank Rd. *Mir* —5D **12**
Sunnybank St. *Oss* —3D **28**
Sunny Bank Wlk. *Mir* —6E **13**
Sunny Brow. *Ber B* —4H **45**
Sunnydale Av. *Brigh* —6A **10**
Sunnydale Croft. *Oss* —4E **29**
Sunnydale Pk. *Oss* —3E **29**
Sunnydale Rd. *Oss* —3F **29**
Sunnydale Ter. *Oss* —3E **29**
Sunny Heys Rd. *Mel* —3D **52**
Sunny Heys W. *Mel* —3D **52**
Sunny Mead. Hud —4G **35**
Sunnymead. *Scis* —4C **60**
Sunnymount Ter. Birs —3B **6**
(off Springwell View.)
Sunnyside. *Brigh* —6D **10**
Sunnyside. *Heck* —3H **13**
Sunnyside. *Holy G* —1E **31**
Sunnyside. *Hud* —2G **33**
Sunnyside Av. *Liv* —4D **12**
Sunny View Cres. *Hud* —5D **22**
Sunroyd Av. *Horb* —6H **29**
Sunroyd Hill. *Horb* —6H **29**
Sunset Cres. *Hal* —1A **8**
Sun Way. *Hal* —1B **8**
Surat Rd. *Slai* —2D **42**
Surrey St. *Bat* —1F **15**
Sussex St. *Bat* —1F **15**
Sussex Wlk. *Dew* —6D **14**
Sutcliffe Wood La. *Hal* —1E **9**
Sutherland Dri. *Hud* —3E **45**
Sutton Av. *Hud* —2G **35**
Sutton Dri. *Hud* —2G **35**
Sutton Gro. *Morl* —1H **7**
Swallow Gro. *Neth* —6G **45**
Swallow Hill. *Bat* —4C **6**
Swallow La. *Gol* —5G **31**
Swallow St. *Heck* —3H **13**
Swan Bank La. *Hal* —1A **8**
Swan Bank La. *H'frth* —4E **63**
Swan Ct. *Hud* —1G **45**
Swan La. *Lock* —1G **45**
Swan La. *Outl* —1F **31**
Sweep La. *H'frth* —5F **63**
Swifts Fold. *Hon* —1D **54**
Swift St. *Hal* —3A **8**
Swincliffe Clo. *Gom* —1E **5**
Swincliffe Cres. *Gom* —1E **5**
Swindon Rd. *Dew* —6E **15**
Swiss Wlk. *Bat* —3D **14**
Swithenbank Av. *Oss* —6C **16**
Swithenbank St. *Oss* —5C **16**
Sycamore Av. *Hud* —5B **32**
Sycamore Av. *Mel* —5D **52**
Sycamore Clo. *Lep* —1D **48**
Sycamore Cottage. H'frth —4A **64**
(off Lea Gdns.)
Sycamore Ct. *Hud* —5B **32**
Sycamore Ct. *Kbtn* —5D **48**
Sycamore Dri. *Cleck* —5A **4**
Sycamore Dri. *Ell* —2H **19**
Sycamore Grange. *Hud* —5A **32**
Sycamore Grn. *Lwr C* —1E **67**
Sycamore La. *H'frth* —1G **63**
Sycamore Rise. *H'frth* —1H **63**
Sycamores, The. *Dew* —4D **14**
Sycamore Way. *Birs* —2B **6**
Sydney St. *Liv* —3F **13**

Syke Av. *Dew* —6H **15**
Syke Fold Grange. *Cleck* —5B **4**
Syke Gro. *Dew* —6H **15**
Syke Ho. La. *G'lnd* —2D **18**
Syke Ing Clo. *Dew* —1A **28**
Syke Ing Ter. *Dew* —1A **28**
Syke La. *Dew* —1H **27**
Syke Rd. *Dew* —6H **15**
Sykes Av. *Heck* —1A **14**
Sykes Av. *Mir* —2G **25**
Sykes Clo. *Bat* —6G **7**
Sykes La. *Bat* —2H **15**
Sykes Rd. *Bat* —6G **7**
Sykes St. *Cleck* —5B **4**
Syke St. *Dew* —1H **27**
Syke View. *Dew* —6H **15**
Syringa St. *Hud* —3F **33**

Tackgarth. *Brigh* —6A **10**
Talbot Av. *Hud* —2E **33**
Talbot Ho. *Ell* —2B **20**
Talbot Row. *Bat* —1F **15**
Talbot St. *Bat* —2E **15**
Talbot View. *Mir* —2E **25**
Tallow M. *Skelm* —5G **59**
Tandem Way. *Tan* —4H **35**
Tanfield Rd. *Hud* —2H **33**
Tanhouse La. *Mir* —3F **37**
Tanhouse St. *Dew* —2B **26**
Tanners La. *Slai* —5D **42**
Tanner St. *Liv* —1H **11**
Tanyard Av. *Hud* —3C **32**
Tanyard Ind. Est. *Hud* —6D **32**
Tanyard Rd. *Milns* —6D **32**
Tanyard Rd. *Oak* —3C **32**
Tateley Clo. *Oss* —5C **16**
Tateley La. *Oss* —5C **16**
Tate Naylor St. *Dew* —4D **14**
Taylor Clo. *Oss* —4F **29**
Taylor Cres. *Oss* —4F **29**
Taylor Dri. *Oss* —4F **29**
Taylor Hall La. *Mir* —5C **12**
(in two parts)
Taylor Hill Rd. *Hud* —3G **45**
Taylor La. *Gol* —5F **31**
Taylors Bldgs. *New* —2A **46**
Taylor St. *Bat* —2E **15**
Taylor St. *Cleck* —5A **4**
Taylor St. *Gol* —6A **32**
Teall Ct. *Oss* —3G **29**
Teall St. *Oss* —3G **29**
Technology Dri. *Bat* —2G **15**
Teddington Av. *Hud* —4F **35**
Telford Clo. *Hud* —6D **34**
Templar Dri. *Hud* —6D **34**
Templars Clo. *G'lnd* —1E **19**
Temple Clo. *Hud* —4A **34**
Temple Rd. *Dew* —1C **26**
Temple St. *Hud* —1D **32**
Tennyson Pl. *Cleck* —4B **4**
Tenter Clo. *Birs* —6E **7**
Tenter Clo. *Skelm* —4G **59**
Tenterfield Rd. *Oss* —3E **29**
Tenter Hill. *H'frth* —4B **64**
Tenter Hill La. *Hud* —4D **22**
Tenter Hill Rd. *N Mill* —1H **63**
Tenters Gro. *Hud* —5D **22**
Tenth Av. *Liv* —1A **12**
Terrace, The. *Hon* —3C **54**
Thackeray Gro. *Hud* —1F **45**
Thackray Av. *Heck* —1A **14**
Thackray St. *Morl* —1H **7**
Thanes Clo. *Hud* —1G **33**
Thatchers Way. *Gom* —3E **5**
Thewlis La. *Hud* —2D **44**

Thick Hollins Dri. *Mel* —5F **53**
Thick Hollins Rd. *Mel* —5F **53**
Third Av. *Gol* —6H **31**
Third Av. *Khtn* —1A **36**
Third Av. *Liv* —2H **11**
Thirlmere Av. *Ell* —1D **20**
Thirlmere Rd. *Dew* —4H **15**
Thirsk Clo. *Hud* —6B **22**
Thirstin Rd. *Hud & Hon* —1C **54**
Thirteenth Av. *Liv* —1H **11**
Thistle Clo. *Hud* —6G **21**
Thistle Hill Av. *Hud* —5A **36**
Thistle St. *Hud* —2B **34**
Thomas St. *Bat* —6D **6**
Thomas St. *Brigh* —5A **10**
Thomas St. *Ell* —2C **20**
Thomas St. *Heck* —3H **13**
Thomas St. *Holy G* —4F **19**
Thomas St. *Lind* —1D **32**
Thomas St. Liv —3F **13**
(Wormald St.)
Thomas St. Liv —2E **13**
(off Valley Rd.)
Thomas St. *Thor L* —6G **33**
Thong La. *H'frth* —6E **55**
Thongsbridge Mills. *H'frth*
—6F **55**
Thoresby Dri. *Gom* —4F **5**
Thorn Av. *Dew* —1E **39**
Thornberry Dri. *Liv* —1H **11**
Thorncliffe Est. *Bat* —3C **14**
Thorncliffe La. *Eml* —5F **51**
Thorncliffe Rd. *Bat* —3C **14**
Thorncliffe St. *Hud* —1D **32**
Thorncliff Grn. Rd. *Kbtn* —5F **49**
Thorncliff La. *Kbtn* —5F **49**
Thorne Rd. *Hud* —6G **33**
Thornes Pk. *Brigh* —5A **10**
Thornfield. *Dew* —2F **27**
Thornfield Av. *Hud* —1G **45**
Thornfield Mt. *Birs* —3C **6**
Thornfield Rise. *G'lnd* —1F **19**
Thornfield Rd. *Hud* —2G **45**
Thornfield St. *G'lnd* —1F **19**
Thorn Garth. *Cleck* —6A **4**
Thorn Hill. *Holy G* —6D **18**
Thornhill Av. *Hud* —3E **33**
Thornhill Bri. La. *Brigh* —3A **10**
Thorn Hill Hey. *Holy G* —6D **18**
(in two parts)
Thornhill Pk. Av. *Dew* —4F **27**
Thornhill Pl. *Brigh* —5A **10**
Thornhill Rd. *Brigh* —6H **9**
Thornhill Rd. *Dew* —2D **26**
Thornhill Rd. *Hud* —3F **33**
Thornhill Rd. *Lgwd* —4C **32**
Thornhills Beck La. *Brigh*
—2B **4**
Thornhills La. *Clif* —2C **10**
Thornhill St. *Dew* —2F **27**
Thornie View. *Dew* —4E **27**
Thornleigh. *Dew* —2F **27**
Thornleigh Dri. *Liv* —1F **13**
Thornleigh Rd. *Hud* —1D **44**
Thorn Rd. *Dew* —1E **39**
Thorn St. *Birs* —3A **6**
Thorn St. *Holy G* —4E **19**
Thornton Clo. *Birs* —1B **6**
Thornton Lodge Rd. *Hud* —6G **33**
Thornton Rd. *Brigh* —6G **9**
Thornton Rd. *Dew* —4D **26**
Thornton St. *Dew* —1D **26**
Thornton St. *Rawf* —5D **4**
Thorntonville. *Rawf* —6D **4**
Thorn View. *Ell* —2C **20**
Thornville Mt. *Dew* —2C **26**

Victoria St. *Clay W* —4C **60**
Victoria St. *Cleck* —4B **4**
Victoria St. *Clif* —3C **10**
Victoria St. *D'tn* —5E **23**
Victoria St. *G'lnd* —1H **19**
Victoria St. *Heck* —2H **13**
Victoria St. *H'frth* —3E **63**
Victoria St. *Horb* —6F **29**
Victoria St. *Lind* —2E **33**
Victoria St. *Lock* —6A **34**
Victoria St. *Mars* —4F **41**
Victoria St. *Mold* —5D **34**
Victoria St. *Raven* —2A **26**
Victoria Ter. *Clay W* —4D **60**
Victoria Ter. *Morl* —1G **7**
Victor St. *Bat* —1F **15**
Victory Av. *Hud* —5E **33**
Viewlands. *Hud* —4A **22**
View St. *Hud* —5D **34**
Viking Av. *Eml* —6F **51**
Village, The. *Far T* —6F **47**
Village, The. *Thur* —5A **56**
Vine Av. *Cleck* —4A **4**
Vine Clo. *Clif* —4D **10**
Vine Ct. *Clif* —4D **10**
Vine Cres. *Cleck* —4B **4**
Vine Garth. *Clif* —3D **10**
Vine Gro. *Clif* —4D **10**
Vinery Clo. *Clay W* —4D **60**
Vine St. *Cleck* —4B **4**
Vine St. *Hud* —2B **34**
Vineyard. *Gol* —5H **31**
Virginia Rd. *Hud* —3E **33**
Vulcan Clo. *Dew* —6E **15**
Vulcan Gdns. *Dew* —6E **15**
Vulcan Rd. *Dew* —6D **14**
Vulcan St. *Brigh* —5C **10**

Wadman Rd. *H'frth* —5H **63**
Wain Brow. *Hud* —4H **45**
Wain Ct. *Ber B* —4H **45**
Waingate. *Hud* —4H **45**
Waingate. *Lint* —4H **43**
Waingate Pk. *Hud* —3H **43**
Wain Pk. *Ber B* —4H **45**
Wakefield Cres. *Dew* —6H **15**
Wakefield Old Rd. *Dew* —6F **15**
Wakefield Rd. *Brigh* —4B **10**
Wakefield Rd. *Clay W* —1F **61**
Wakefield Rd. *Den D* —3E **67**
Wakefield Rd. *Dew* —6F **15**
Wakefield Rd. *Horb* —6H **29**
Wakefield Rd. *Hud & Fen B*
—5B **34**
Wakefield Rd. *Liv* —2F **13**
Wakefield Rd. *Oss* —1E **29**
Walker Grn. *Dew* —6G **27**
Walkers Mt. *Bat* —3E **15**
Walker St. *Dew* —2H **27**
Walker St. *Raven* —4H **25**
Walker St. *Schol* —4B **4**
Walker St. *Thorn L* —4F **27**
Walkley Av. *Heck* —3H **13**
Walkley Gro. *Heck* —3H **13**
Walkley La. *Heck* —3H **13**
Walkley Ter. *Heck* —4A **14**
Walkley Vs. *Heck* —4A **14**
Waller Clough Rd. *Slai* —6D **30**
Wall Nook La. *Cumb* —2F **65**
Wallroyds. *Den D* —3E **67**
Walnut Av. *Dew* —1A **28**
Walnut Clo. *Dew* —2A **28**
Walnut Cres. *Dew* —1A **28**
Walnut Dri. *Dew* —1B **28**
Walnut Gro. *Dew* —1B **28**

Walnut La. *Dew* —1A **28**
Walnut Pl. *Dew* —1A **28**
Walnut Rd. *Dew* —1A **28**
Walpole Rd. *Hud* —1E **45**
Walsham Dri. *Hud* —1A **32**
Walter Clough La. *S'wram* —1D **8**
Waltin Rd. *H'frth* —6D **62**
Walton Croft. *Hud* —4E **35**
Walton La. *Cleck* —1E **11**
Waltroyd Rd. *Cleck* —5A **4**
Wapping Nick La. *Hud* —5A **20**
Warburton Rd. *Eml* —6E **51**
Ward Bank Rd. *H'frth* —5D **62**
Ward Ct. *Brigh* —1H **21**
Ward Pl. La. *H'frth* —5D **62**
Wards Hill. *Bat* —1E **15**
Wards Hill Ct. *Bat* —1E **15**
Wards Pl. *Bat* —1E **15**
Ward St. *Bat* —5E **15**
Ward St. *Crack* —5F **15**
Warehouse Hill Rd. *Mars* —4F **41**
Warehouse St. *Bat* —2F **15**
Warhurst Rd. *Lfds B* —6C **8**
Waring Way. *Dew* —5G **15**
Warneford Av. *Oss* —1D **28**
Warneford Rise. *Hud* —1C **44**
Warneford Rd. *Hud* —6C **32**
Warren Clo. *Liv* —4F **13**
Warren Ho. La. *Hud* —5C **20**
Warren Pk. *Brigh* —1G **9**
Warren Pk. Clo. *Brigh* —1G **9**
Warrenside. *Hud* —4E **23**
Warrens La. *Bat* —1H **5**
Warren St. *Dew* —2E **27**
Warrington Ter. *Mars* —4E **41**
Warwick Av. *Gol* —6A **32**
Warwick Mt. *Bat* —2F **15**
Warwick Rd. *Bat* —4E **15**
Washpit New Rd. *H'frth* —6F **63**
Wasp Nest Rd. *Hud* —1A **34**
Waste La. *Hud* —1E **47**
Waste La. *Mir* —5D **24**
Watercroft. *Hud* —1F **47**
Watergate. *Hud* —4B **34**
Watergate Rd. *Dew* —1D **26**
Water Hall Ct. N Mill —2A **64**
(off Water Row)
Water La. *Dew* —2D **26**
Water La. *Shel* —3A **58**
Waterloo Rise. *Hud* —5G **35**
Waterloo Rd. *Brigh* —3A **10**
Waterloo Rd. *Hud* —3H **35**
Water Row. *N Mill* —2A **64**
Water Royd Av. *Mir* —2E **25**
Water Royd Cres. *Mir* —2E **25**
Water Royd Dri. *Mir* —2E **25**
Water Royd La. *Mir* —2E **25**
Waterside. *Hud* —5G **33**
(Huddersfield)
Waterside. *Hud* —2H **45**
(Salford)
Water Side La. *H'frth* —6A **62**
Waterside Wlk. *Mir* —3B **24**
Waters Rd. *Mars* —3C **40**
Water St. *Brigh* —3B **10**
Water St. *Holmb* —5B **62**
Water St. *Hud* —5H **33**
Water St. *Lock* —1H **45**
Water St. *Scis* —5B **60**
Waterwheel Rise. *Lock* —2F **45**
Waterworks Rd. *Bat* —2B **14**
Watery La. *H'frth* —4F **63**
Watroyd La. *Slai* —2F **43**
Watson Av. *Dew* —6B **16**
Watson St. *Morl* —1H **7**
Waverley Rd. *Ell* —3B **20**

Waverley Rd. *Hud* —3H **33**
Waverley St. *Dew* —1E **27**
Waverley St. *Slai* —3D **42**
Waverley Ter. *Hud* —3F **33**
Wayne Clo. *Bat* —6E **7**
Weatherhill Cres. *Hud* —6C **20**
Weatherhill Rd. *Hud* —5C **20**
Weavers Ct. *Mel* —4F **53**
Weavers Wlk. *Den D* —1H **67**
Webster Hill. *Dew* —1D **26**
Webster St. *Dew* —6E **15**
Weir Side. *Mars* —4F **41**
Welbeck Rd. *Birs* —2B **6**
Weldon Dri. *Hud* —2E **31**
Wellands Grn. *Cleck* —5A **4**
Well Clo. St. *Brigh* —3B **10**
Wellesley Ct. *Hud* —5C **32**
Wellfield Av. *Grng M* —5A **38**
Wellfield Clo. *Grng M* —5A **38**
Wellfield Clo. *Lint* —2A **44**
Wellfield Rd. *Hud* —4E **33**
Wellgate. *G'lnd* —1G **19**
Wellgate. *Slai* —1F **43**
Well Jum. La. *Brigh* —1H **9**
Well Gro. *Brigh* —1H **9**
Well Gro. *Hud* —5C **22**
Well Hill. *Hon* —2D **54**
Well Hill Rd. *H'frth* —4F **63**
Wellholme. *Brigh* —3B **10**
Wellhouse. *Mir* —1F **25**
Wellhouse Av. *Mir* —1F **25**
Wellhouse Clo. *Mir* —1E **25**
Wellhouse Ct. M. Mir —2F **25**
(off Wellhouse La.)
Wellhouse La. *Hud* —1G **35**
Wellhouse La. *Mir* —1F **25**
Wellhouse Rd. *Lint* —1H **43**
Wellington Arc. Brigh —4A **10**
(off Briggate)
Wellington Rd. *Dew* —6E **15**
Wellington Rd. E. *Dew* —6E **15**
Wellington St. *Bat* —1D **14**
Wellington St. *Dew* —6E **15**
Wellington St. *Hud* —2D **32**
Wellington St. *Liv* —3F **13**
Wellington Ter. *Mars* —4G **41**
Wellington Wlk. *Dew* —6E **15**
Well La. *Bat* —1F **15**
Well La. *Brigh* —6H **9**
Well La. *Clif* —4E **11**
Well La. *Dew* —6B **14**
Wells Ct. *Oss* —3C **28**
Wells Grn. Gdns. *H'frth* —1D **62**
Wells Mt. *Up Cum* —2A **66**
Wells Rd. *Dew* —6G **27**
Well St. *Dew* —6G **15**
Well St. *Holy G* —4F **19**
Well St. *Hud* —5H **33**
Well St. *Lit T* —1E **13**
Welwyn Av. *Bat* —6B **6**
Welwyn Rd. *Dew* —3H **15**
Wendron Clo. *Liv* —5D **12**
Wensleydale Ho. Bat —4E **15**
(off Dale Clo.)
Wensleydale Pde. *Bat* —4B **6**
Wensley Gro. *Brigh* —6G **9**
Wensley St. *Horb* —6G **29**
Wensley St. E. *Horb* —6G **29**
Wentworth Av. *Eml* —6E **51**
Wentworth Ct. *Brigh* —1H **21**
Wentworth Dri. *Eml* —6E **51**
Wentworth St. *Hud* —3H **33**
Wesley Av. *H'frth* —6D **54**
Wesley Clo. *Birs* —3A **6**
Wesley Ct. *Oss* —2C **28**
Wesley Pl. *Dew* —6E **15**

Wesley St. *Cleck* —4B **4**
Wesley St. *Dew* —6E **15**
Wesley St. *Oss* —2C **28**
(in two parts)
Wesley Ter. *Den D* —2F **67**
Wessen Ct. *Mars* —4F **41**
Wessenden Head Rd. *Mel*
—6A **52**
Wessenden Rd. *Mars* —6F **41**
W. Acre Dri. *Bat* —1F **15**
Westacres. *Brigh* —6B **10**
West Av. *Hon* —2C **54**
West Av. *Hud* —1E **33**
West Bank. *Bat* —6D **6**
Westbourne Rd. *Hud* —3F **33**
Westbrook Dri. *Hud* —4H **35**
Westbrook Ter. *Bat* —6D **6**
Westbury St. *Ell* —1C **20**
Westcliffe Rise. *Cleck* —5A **4**
Westcliffe Rd. *Cleck* —4A **4**
West Clo. *Hud* —6B **22**
Westcroft. *Hon* —2C **54**
Westcroft Dri. *Oss* —5C **16**
West End. *H'frth* —6D **54**
W. End App. *Morl* —1G **7**
West End Av. *H'frth* —2G **63**
West End Dri. *Cleck* —5A **4**
W. End Rd. *Dew* —1D **26**
West End Rd. *Gol* —6G **31**
Westerley Clo. *Shel* —3A **58**
Westerley La. *Shel* —3H **57**
Westerley Way. *Shel* —3A **58**
Western Av. *Birs* —3C **6**
Western Pl. Hud —5A **34**
(off Springwood St.)
Western Rd. *Hud* —6C **32**
Westfield. *Oss* —3C **28**
Westfield Av. *Dew* —6A **16**
Westfield Av. *Hud* —3D **32**
Westfield Av. *Mel* —3C **52**
Westfield Av. *Skelm* —5F **59**
Westfield Clo. *Heck* —1G **13**
Westfield Ct. *Horb* —6F **29**
Westfield Ct. *Mir* —3E **25**
Westfield Cres. *K'gte* —4H **17**
Westfield Cres. *Oss* —3C **28**
Westfield Dri. *Oss* —3C **28**
Westfield Dri. *Skelm* —5F **59**
Westfield Farm. *Oss* —2C **28**
Westfield Gro. *Dew* —6B **14**
Westfield La. *Hud* —4A **50**
W. Field La. *H'frth* —3F **63**
Westfield Pl. *K'gte* —3H **17**
Westfield Rd. *Heck* —1G **13**
Westfield Rd. *Horb* —6F **29**
Westfields Av. *Mir* —3E **25**
Westfields Rd. *Mir* —3E **25**
Westfield St. *Heck* —1G **13**
Westfield St. *Oss* —3C **28**
Westfield Ter. *Horb* —6G **29**
Westfield Vs. *Horb* —6F **29**
Westgate. *Alm* —2F **47**
Westgate. *Brigh* —5A **11**
Westgate. *Cleck* —5A **4**
Westgate. *Dew* —6F **15**
Westgate. *Ell* —1B **20**
Westgate. *Heck* —2G **13**
Westgate. Holy G —5D **18**
(off Stainland Rd.)
Westgate. *Hon* —2D **54**
Westgate. *Hud* —4A **34**
Westgate. *Mel* —4D **52**
Westgate Ter. Dew —6E **15**
(off Old Westgate)
West Gro. Av. *Hud* —4D **34**
Westgrove Ct. *Cleck* —4A **4**

West Ho. Ell —1B **20**
(off Gog Hill)
West La. Gom —3F **5**
West La. Hal —3B **8**
W. Lodge Cres. Hud —4D **20**
W. Moor View. Hon —2C **54**
West Pk. Gro. Bat —1C **14**
West Pk. Rd. Bat —2B **14**
West Pk. St. Brigh —4B **10**
West Pk. St. Dew —5D **14**
West Pk. Ter. Bat —2C **14**
West Pl. Hud —4D **34**
Westridge Dri. Hud —3E **45**
Westroyd Av. Cleck —1B **4**
W. Royd Av. Mir —3E **25**
W. Royd Dri. Mir —2E **25**
W. Royd Gro. Mir —2E **25**
W. Royd Pk. Mir —2E **25**
W. Slaithwaite Rd. Hud —5A **42**
West St. Bat —1F **15**
(in two parts)
West St. Brigh —3A **10**
West St. Cleck —5B **4**
West St. Dew —1E **27**
West St. Gom —3F **5**
West St. Heck —2G **13**
West St. Holy G —4F **19**
West St. Hud —1C **32**
West Vale. Dew —2D **26**
West View. Bat —4D **14**
West View. Holy G —4E **19**
West View. K'gte —4H **17**
West View. Pad —5F **33**
W. View Rise. Hud —5F **33**
Westward Croft. Hud —6E **21**
Westway. Bat —3H **15**
Westway. Mir —1D **24**
W. Wells Cres. Oss —3C **28**
W. Wells Rd. Oss —3C **28**
Westwood. Hon —2G **55**
Westwood Edge Rd. Slai —1E **43**
Westwood Fold. Slai —2F **43**
Westwood Rd. Oss —3F **29**
Westwood St. Hud —2G **23**
Wetherhill St. Bat —1D **14**
Wetherill Ter. Dew —3B **14**
(off Kilpin Hill La.)
Wetlands Rd. Mel —5E **53**
Wet Shod La. Brigh —2G **9**
Weydale Av. Hud —2C **32**
Weymouth Av. Hud —3D **32**
Wharfedale Cres. Skelm —5H **59**
Wharf St. Brigh —4B **10**
Wharf St. Dew —1F **27**
Wharton St. Liv —2F **13**
Wharton Ter. Heck —3H **13**
(off Church La.)
Wheat Clo. Dew —6B **14**
Wheatcroft. Bat —1E **15**
(off Bayldons Pl.)
Wheatcroft Av. Bat —2E **15**
Wheathouse Rd. Hud —1H **33**
Wheathouse Ter. Hud —1H **33**
Wheatings, The. Oss —3F **29**
Wheatlands Dri. Liv —4D **12**
Wheatley Dri. Mir —5E **25**
Wheatley Hill La. Clay W —6B **60**
Wheatroyd Cres. Oss —5D **28**
Wheatroyd La. Hud —2E **47**
Wheelwright Dri. Dew —4C **14**
Wheelwright St. Dew —6G **15**
Wherwell Rd. Brigh —5B **10**
Whewell St. Birs —3A **6**
Whinberry Pl. Birs —1B **6**
Whinfield Pl. Oss —4G **29**

Whinfield Ter. Oss —4H **29**
Whingrove Av. Mel —5C **52**
Whinmore Gdns. Gom —5G **5**
Whinney Bank La. H'frth —3F **63**
Whinney Hill Pk. Brigh —1A **10**
Whitacre Clo. Hud —5E **23**
Whitacre St. Hud —5E **23**
Whitaker St. Bat —2F **15**
Whitby Av. Hud —6A **22**
Whitby Cres. Dew —6H **15**
Whitcliffe Rd. Cleck —4A **4**
Whitcliffe Sq. Cleck —4B **4**
(off Whitecliffe Rd.)
Whitebeam Pk. Hud —1F **33**
Whitechapel Rd. Cleck —4A **4**
White Clo. La. Den D —2G **67**
White Cross. Hud —3E **23**
White Cross Rd. Dew —5G **15**
Whitegate. Hal —2A **8**
White Ga. Hon —1D **54**
Whitegate Dri. Hal —2A **8**
Whitegate Rd. Hal —1A **8**
White Ga. Rd. H'frth —6C **62**
Whitegate Rd. Hud —6B **34**
Whitegates Gro. Fen B —2B **48**
Whitegate Top. Hal —2A **8**
Whitehall Av. Mir —1E **25**
Whitehall Rd. Cleck —2A **4**
Whitehall Rd. Lint —4G **43**
Whitehall Rd. W. Cleck —2B **4**
Whitehall Way. Dew —6F **15**
White Hart Dri. New —1A **46**
Whitehead La. Hud —1H **45**
Whitehead La. S Cro —6B **44**
White Hill. Mars —5A **42**
White Horse Clo. Birs —2D **6**
White Lee Clo. Bat —6A **6**
White Lee Rd. Heck & Bat
—5A **6**
White Lee Side. Heck —6A **6**
White Ley Bank. N Mill —1C **64**
Whiteley St. Hud —6D **32**
White Rose Av. Hud —3F **35**
Whitestone La. Hud —2B **34**
White Wells Gdns. H'frth —5H **63**
White Wells Rd. H'frth —5H **63**
Whitfield St. Cleck —4B **4**
Whitley La. Hud —1C **8**
Whitley Rd. Dew —1D **38**
Whitley Rd. W'ley —2H **37**
Whitley Spring Cres. Oss —2F **29**
Whitley Spring Rd. Oss —2F **29**
Whitley Way. Grng M —5A **38**
Whitteron Clo. Hud —1C **32**
Whitwell La. Ell —1D **20**
Whitwell Dri. Ell —1D **20**
Whitwell Grn. La. Ell —2D **20**
Whitwell Rd. Ell —1D **20**
Whitworth Rd. Dew —1D **26**
Wholestone Ga. Gol —5F **31**
Wickenden Ga. H'frth —5H **63**
Wickins La. H'frth —2A **62**
Wilby St. Cleck —5B **4**
Wildspur Gro. N Mill —4A **64**
Willan's Rd. Dew —6E **15**
Willerton Clo. Dew —3B **16**
William Henry St. Brigh —3A **10**
William Horsfall St. Hud —1E **45**
William St. Brigh —5A **10**
William St. Cros M —6E **33**
William St. Dew —6G **15**
William St. G'lnd —2H **19**
William St. Hud —3B **34**
William St. Liv —2F **13**
William St. Raven —3A **26**

William St. Stain —3B **14**
Willow Clo. Gom —5F **5**
Willow Ct. Bat —6E **7**
Willowcroft. Cleck —6A **4**
Willow Gro. Gol —5A **32**
Willow Gro. Oss —5E **29**
Willow La. Hud —2A **34**
Willow La. E. Hud —2B **34**
Willow Rise. Skelm —5F **59**
Willow Rd. Bat —2G **15**
Willows, The. Lep —1E **49**
Willow St. Cleck —3B **4**
Willow Ter. Bat —2G **15**
Willow Wlk. Liv —3E **13**
Willwood Av. Hud —3D **32**
Wilman Dri. Oss —2C **28**
Wilman Post. Oss —2C **28**
Wilmar Dri. Hud —2A **32**
Wilshaw Mill Rd. Mel —6G **53**
Wilshaw Rd. Mel —6F **53**
Wilson Av. Mir —3D **24**
Wilson Av. Oss —4G **29**
Wilson Rd. Mir —3D **24**
Wilson Ter. Mir —3D **24**
Wilson Wood St. Bat —4E **15**
Wilton Av. Hud —2E **23**
Wilton Ind. Ct. Bat —4B **6**
Wilton St. Brigh —3H **9**
Wilton St. Dew —1F **27**
Wilton Ter. Cleck —5B **4**
Windermere Clo. Mel —5E **53**
Windermere Rd. Dew —3G **15**
Windmill Cres. Skelm —5H **59**
Windmill Gro. Cleck —6F **5**
Windmill Hill La. Eml M —4B **50**
Windmill La. Bat —6D **6**
Windmill La. Birs —3C **6**
Windmill La. Cumb —5D **64**
Windmill View. H'frth —6G **63**
Windsor Clo. Dew —3B **16**
Windsor Dri. Hud —4G **35**
Windsor Dri. Liv —4F **13**
Windsor Dri. Skelm —5H **59**
Windsor Gdns. Dew —3B **16**
Windsor Pl. Hud —3E **23**
Windsor Rd. Bat —3C **6**
Windsor Rd. Dew —4A **16**
Windsor Rd. Hud —1B **44**
Windsor View. Dew —4B **16**
Windsor Wlk. Bat —2D **6**
Windy Bank La. Liv —1H **11**
Windycroft. Hon —3D **54**
Windyridge St. Horb —6F **29**
Winfield Dri. Hud —2B **32**
Winget Av. Hud —1B **44**
Winsford Dri. Hud —3H **35**
Winton St. Hud —1G **45**
Wistons La. Ell —1C **20**
(in two parts)
Withens Rd. Birs —2A **6**
Within Fields. Hal —2C **8**
Withyside. Den D —2G **67**
Woburn Dri. Hud —4H **35**
Wolfstones Rd. Mel —1A **62**
Wood Av. Heck —1H **13**
Woodbine Rd. Hud —1B **34**
Woodbine St. Oss —1D **28**
Woodbine Ter. Clay W —3D **60**
Wood Bottom La. Brigh —1F **9**
Wood Bottom Rd. Neth —1H **53**
Woodburn Av. Dew —2H **27**
Woodchurch View. Thon —6F **55**
Wood Croft. Brigh —6H **9**
Woodedge Av. Hud —4G **35**
Wood End. Lock —1H **45**
Wood End La. Bklnd —2B **18**

Wood End La. Shep —1E **65**
Wood End Rd. Hud —4G **45**
Woodend Rd. Mir —4D **24**
Wood Farm La. Broc —4G **55**
Woodfield Av. Bat —2C **14**
Woodfield Av. G'lnd —1F **19**
Woodfield Ct. Bat —4D **14**
Woodfield Ct. Hud —2H **33**
Woodfield Dri. G'lnd —2F **19**
Woodford Av. Hal —2A **8**
Woodford Dri. Hud —3G **35**
Wood Gro. Oss —6D **16**
Woodhall Clo. Ove —4H **39**
Woodhall Dri. Bat —2C **14**
Woodhead Clo. Hud —5C **22**
Woodhead La. Brigh —5E **11**
Woodhead Rd. Bat —1D **6**
Woodhead Rd. Holmb —6A **62**
Woodhead Rd. Hon —2E **55**
Woodhead Rd. Hud —3G **45**
(in two parts)
Woodhead St. Mar —6C **4**
Woodhouse Av. Hud —6B **22**
Woodhouse Gro. Hud —6C **22**
Woodhouse Hall Rd. Hud
—6C **22**
Woodhouse Hill. Hud —6C **22**
Woodhouse La. Brigh —1B **22**
Woodhouse La. Eml —5H **51**
Woodhouse La. H'frth —6B **8**
Woodhouse La. K'gte & E Ard
—3G **17**
Woodkirk Gdns. Dew —1B **16**
Woodland Dri. Brigh —3H **9**
Woodland Dri. Skelm —5H **59**
Woodland Gro. Dew —6B **14**
Woodland Meadows. Kbtn
—5D **48**
Woodlands. Horb —6H **29**
Woodlands. Oss —1D **28**
Woodlands Av. Gom —3E **5**
Woodlands Av. H'frth —6G **55**
Woodlands Av. Lep —1C **48**
Woodlands Clo. Den D —2G **67**
Woodlands Clo. Hud —6G **23**
Woodlands Cres. Gom —3E **5**
Woodlands Dri. Gom —3E **5**
Woodlands Dri. Lep —2C **48**
Woodlands End. Lep —1C **48**
Woodlands La. Dew —6B **14**
Woodland Sq. Brigh —5C **10**
Woodlands Rd. Bat —4C **6**
Woodlands Rd. Ell —6B **8**
Woodlands Rd. Gom —3E **5**
Woodlands Rd. Lep —1C **48**
Woodlands Rd. E. Pen B —1B **48**
Woodlands Way. Lep —2C **48**
Wood La. Bat —5E **15**
(Bradford Rd.)
Wood La. Bat —3F **15**
(Commonside)
Wood La. Den D —2E **67**
(in two parts)
Wood La. Hip —3D **8**
Wood La. H'frth —2E **63**
Wood La. Hud —1B **46**
Wood La. Mir —3B **24**
Wood La. Ove —2F **39**
Wood La. Slai —6D **42**
Wood La. Thur —2D **56**
Woodleigh Gro. Hud —3E **45**
Woodman Av. Ell —3B **20**
Woodman Av. Hud —3F **23**
Wood Mt. Ove —4H **39**
Wood Nook. Mel —4A **54**

Wood Nook La. *Mel* —4H **53**
Woodroyd. *Gol* —5G **31**
Woodroyd Av. *Hon* —1F **55**
Woods Av. *Mars* —4H **41**
Woodside. *Den D* —2G **67**
Woodside Cres. *Bat* —2C **14**
Woodside Gro. *G'lnd* —2G **19**
Woodside La. *Hud* —4B **22**
Woodside Rd. *Hud* —3E **45**
Woodside Ter. *G'lnd* —2H **19**
Woodside View. G'lnd —2H 19
  (off Woodside Ter.)
Woodside View. *H'frth* —4B **62**
Woodside View. *Hud* —1B **44**
Woodsome Av. *Mir* —2C **24**
Woodsome Dri. *Fen B* —2B **48**
Woodsome Dri. *Mir* —2D **24**
Woodsome Est. *Bat* —2C **14**
Woodsome Hall La. *Fen B*
  —3A **48**
Woodsome Lees La. *Kbtn*
  —5A **48**
Woodsome Pk. *Fen B* —2B **48**
Woodsome Rd. *Far T* —6F **47**
Woods Rd. *Mars* —4H **41**
Woods Ter. *Mars* —4H **41**
Woodstock Cres. *Hud* —2D **32**
Wood St. *Bat* —1E **15**
Wood St. *Brigh* —4B **10**

Wood St. *Clay W* —5B **60**
Wood St. *Cleck* —5A **4**
Wood St. *Dew* —5F **15**
Wood St. *Ell* —2C **20**
Wood St. *Hud* —4A **34**
Wood St. *Lgwd* —5C **32**
Wood St. *Mold* —4D **34**
Wood St. *Oss* —6D **16**
Wood St. *Skelm* —4F **59**
Wood St. *Slai* —3D **42**
Wood Ter. *Hud* —1A **46**
Woodthorpe Ter. *Hud* —5H **33**
Wood Top. *Brigh* —1G **9**
Wood Top. *Mars* —5F **41**
Woodvale Rd. *Brigh* —3B **10**
Wood View. *Bir* —1F **33**
Wood View Gro. *Brigh* —2H **9**
Woodville Av. *Gol* —6A **32**
Woodville Pl. *Hud* —2E **23**
Woodville Rd. *Dew* —6F **15**
Woodward Ct. *Mir* —1F **25**
Woolcroft Dri. *H'frth* —2G **63**
Wooldale Cliff Rd. *H'frth* —3F **63**
Wooldale Rd. *H'frth* —1G **63**
Woollin Av. *Wake* —1E **17**
Woollin Cres. *Wake* —1E **17**
Woolrow La. *Brigh* —1C **10**
Wool Row La. *Shel* —2C **58**
Wool St. *Bat* —1F **15**

Wool St. *Heck* —3H **13**
Worcester Gro. *Hud* —1B **46**
Workhouse La. *G'lnd* —2H **19**
Wormald St. *Dew* —6E **15**
Wormald St. *Hud* —1F **47**
Wormald St. *Liv* —3G **13**
Worrall St. *Morl* —1H **7**
Worts Hill La. *Slai* —6A **30**
Worts Hill Side. *Slai* —6A **30**
Wren Hill. *Bat* —4C **6**
Wren St. *Hud* —5F **33**
Wrexhall Rd. *Dew* —4G **15**
Wroe St. *Dew* —5B **14**
Wycliffe St. *Oss* —1C **28**
Wynmore Dri. *Hud* —1B **32**
Wyvern Av. *Hud* —4E **33**
Wyvern Clo. *Bat* —6E **7**
Wyverne Rd. *Gol* —6A **32**

Yard No.4 *Bat* —4B **6**
Yates La. *Hud* —6D **32**
Yeadon Dri. *Hal* —2C **8**
Ye Farre Clo. *Brigh* —2A **10**
Yew Grn. Av. *Hud* —1G **45**
Yew Grn. Rd. *Hud* —1G **45**
Yew Gro. *Hud* —1B **44**
Yew Pk. *Brigh* —1G **9**
Yews Hill Rd. *Hud* —6G **33**

Yews Mt. *Hud* —6H **33**
Yew St. *Hud* —1A **34**
Yew Tree Ct. *Liv* —1E **13**
Yew Tree La. *H'frth* —5A **62**
Yew Tree La. *Hud* —1B **44**
Yew Tree La. *Slai* —5D **42**
Yew Tree Rd. *Hud* —6C **20**
Yew Tree Rd. *Shep* —5H **57**
Yew Trees. *Hal* —2C **8**
York Av. *Hud* —6H **21**
York Dri. *Bat* —6F **7**
York Dri. *Heck* —6H **5**
York Gro. *Bat* —6F **7**
York Gro. *Mir* —3D **24**
York Ho. Ell —1B 20
  (off Gog Hill)
York Ho. Hud —4B 34
  (off Oldgate)
York Pl. *Cleck* —4B **4**
York Rd. *Bat* —6E **7**
York Rd. *Dew* —5H **15**
York Rd. *Mir* —3D **24**
York St. *Brigh* —5A **10**

Zetland St. *Hud* —4B **34**
Zion Clo. *Hud* —1D **32**
Zion St. *Oss* —5C **16**